知的創造の条件

AI的思考を超えるヒント

筑摩選書

知的創造の条件　目次

はじめに――知的創造の条件とは何か　11

第1章　はじまりの一歩　23

第2章　知的バトルのススメ　61

◎図解イラスト　宇田川一美

知的創造の条件

ＡＩ的思考を超えるヒント

はじめに――知的創造の条件とは何か

1　知的創造を語る現代社会

すべての創造行為が知的であることからすれば、本書のタイトルにわざわざ「知的」という修飾語を付けるのは余計なことかもしれません。ダンスや音楽、演劇から美術や工芸、料理やファッション、映像制作まで、あらゆる創造行為は明らかに知的な営為です。したがって、本書でこれから論じていくような、主に言葉を使い、論理に基づく学問的な創造だけが知的というわけではまったくありません。それどころか、そうした学問的な知性は、私たちの知的活動の中でもごく一部の、いわば氷山の一角のようなものにすぎません。

他方、学問的（アカデミック）という意味での知的活動のすべてが創造的なわけでもありません。実際、私たちを取り巻く学問知には、あまり「創造的」とは言えそうにないものが溢れています。この傾向は、昨今の画一的業績主義、つまり査読付きの論文を何本書くか、それが国際的にどれだけ引用されるか、論文はその形式的要件を満たしているかといったことばかりに研究者の関心が向かい、学会誌に掲載してもらうために既存の価値基準に合わせることに若手が汲々とするなかでますます強まっています。アートならば最初から創造的でいいけれども、学問はまずちゃんと規準を満たさなければということなのでしょう。

私は一方で、アカデミックな知的創造性は、アーティスティックな知的創造性と連続的な関係にあると考えています。芸術的な創造活動にも〈論理〉が必要なのと同様、学問的な創造活動にも〈直観〉が必要です。したがって、本書では学問的なパラダイムが、いかにして身体やイメージ、空間を媒体とする創造行為のパラダイムと結びついてきたかを考えることにしたいと思います。同時に、今日のとりわけ日本における学問活動の多くが、その量的な膨張の傍らであまり創造的とは思えなくなってきているとしたら、それはいったいなぜなのか、大学生や大学院生から若手研究者、様々な学会に集まる企業人までの学問的な活動が知的創造性を獲得していくためには、どのような条件が必要なのかをより深く考えていかなければなりません。要するに、「知的創造の条件」が問題となるのです。

知的創造をテーマにした本は、これまでにもずいぶん書かれてきました。たとえば、一九五〇年代末にまず清水幾太郎が『論文の書き方』（岩波新書、一九五九年）を出版し、一九六〇年代後半には梅棹忠夫が『知的生産の技術』（岩波新書、一九六九年）を書き、七九年には高根正昭が『創造の方法学』（講談社現代新書、一九七九年）をまとめるというように、ちょうど一〇年ごとに歴史に残る新書が出されてきました。そして、一九八三年には外山滋比古が『思考の整理学』（ちくま文庫、一九八六年）を書き、これも名著として知られています。実際、この本は、すでに一二〇刷を重ね、二四〇万冊が売れているそうですから、日本の出版史に残るベストセラーです。最近、話題になったものとして、千葉雅也の『勉強の哲学』（文藝春秋、二〇一七年）がありますね。思考への言語論的アプローチです。そうした意味ではレヴィ＝ストロースの『野生の思考』を、この種の系譜の古典的名著としてぜひ挙げておきたいところです。社会学系では、上野千鶴子や大澤真幸、苅谷剛彦など私の友人たちもこうした本をそれぞれ書いていて、本書もその末席に連なることになるのでしょう。

それらを大別すると、二つの系統があるように思われます。一つは、主として社会学者が手掛けたものです。清水幾太郎の『論文の書き方』に始まり、最近では上野、苅谷、大澤、そして私という系譜です。もう一つは、ある種の情報学的系譜で、川喜田二郎の『発想法』（中公新書、一九六七年）や梅棹の『知的生産の技術』があり、その後は野口悠紀雄の『「超」整理法』（中公新書、一九九三年）まで続きます。大量の情報をどう解析し、どのようにメディアを使い、そこから創造的なものをどう作り出すかという、情報論的なアプローチです。

この本が目指しているのは、知的創造に関する社会学的な視座と情報学的な視座をつないでいくことです。知的創造を可能にする条件は何かと考えるときに、それは個人の創造的な思考とは何かという問いと、社会の創造的な基盤とは何かという問いの両方が含まれます。社会学者の書いてきたものが、どちらかというと個人の創造的な思考について論じ、情報学者の書いてきたものがメディア論的な傾向を帯びてきたのは何だかねじれているような気もしますが、前述の社会学者たちの場合、本書で挙げる以外の多数の本で社会の側の条件を論じているので、ここでは初学者向けの導入をしたということでしょう。

なぜ、一九五〇年代末頃からこの種の本が周期的に出版されてきたのかという問いは、それこそ社会学的な問いです。これは一方では戦後の大学の大衆化、他方では社会全体の情報化と関係しています。一方で、一九四九年の新制大学の誕生で、日本の大学数は五〇未満から二〇〇以上に激増し、その後も増え続けます。大学生であることは、もはや何らエリートであることを意味せず、知識の大衆的な生産層にすぎなくなったのです。そのような層に対し、知的創造とは何かを手ほどきしていく必要に多くの大学人が迫られました。そして、清水幾太郎以降の社会学者がその先鋒を担わされていったのです。

他方、一九六〇年代は情報革命が始まった時代でした。テレビの普及と週刊誌、出版産業や広告産業の発展によって、私たちを取り巻く情報が爆発的に増えました。そして九〇年代以降のインターネットの大発展は、現代のこの情報爆発を極限まで推し進めます。この情報過多時代を、いかにして知的創造性に活用していくかが、学生のみならずビジネスマンの関心の的となり、梅棹から野口に至るベストセラーが生まれていったのです。

2 対話的行為としての知的創造

しかしながら、私は本書でこのような知的創造本の社会学的分析をしようとしているのではありません。そのような社会的文脈はそれなりに分析に値するのですが、そうした分析は誰か若い研究者の仕事でやってもらいたいというのが本音です。私としては、そのような諸々（もろもろ）の時代的背景にもかかわらず、現代の日本の大学、それに社会全般で、知的創造の社会的条件が疲弊しており、非常に弱体化しているという実感があります。この疲弊をもたらしているのは、一つにはグローバル資本主義と新自由主義の中で日本社会の諸々の基盤が崩れていったことにあり、もう一つにはデジタル化・ネット化の中で知識形成の仕組みがすっかり変わりつつあることにあるのでしょう。その原因はいろいろ分析できますが、いずれにせよ目下の状況に対し、実践的に何らかの手が打たれていく必要があるし、たとえささやかでも、知的創造力を恢復させる努力がなされなければならないと私は考えています。

私が信じるところでは、知的創造というのは決して自分、つまり私の頭の中にあるアイディアを外へ表出していく行為ではありません。そうではなく、それは根本的に対話的な行為だと思っています。つまり、他者との対話、コミュニケーションの中から生じるものなのです。ここで言う他者とは、具体的な友人でも、教師でも、編集者でもいいですし、研究会や学会で出会った論争相手でもいいでしょう。場合によっては、それはすでにこの世にいない思想家や実践者、時には預言者であっても構いません。いずれにしても、何らかの自分ではない他者との実際の、あるいは想像上の対話が、知的創造には必要なのです。

レポートを書く、あるいは卒業論文や修士論文、博士論文を書く、あるいは本や学会誌への投稿論文を書く、いろいろな形でテキストを知的に制作していくように迫られることがありますね。そういう行為、つまり何らかの学問的な文章を書くということは――アーティスティックな文章でも本当はそうだと思うのですが――、他者との対話の中で、他者との関係性の線分上に言葉を成立させる行為です。それは、少なくとも創造的であろうとするならば、モノローグでは絶対にあり得ないということです。自分の発話の聞き手、あるいは読み手として想定される他者が常に必要なのです。そのような他者の視点から、自分が考えようとしていることが捉え返され、ある意味では、叩きつぶされなければなりません。

私はよく学生に、論文は、単に自分が言いたいことを書くのではないと言い続けています。言いたいことをそのまま書いても、中身がなんであれ、それだけでは創造的な行為にはなり得ないということです。そのような自己表出の言明は、本人がいくら自分はオリジナルなことを言っていると思っていても、得てして相手には伝わらず、議論が空回りします。話し上手は聴き上手、書き上手は読み上手なのであって、相手の視点に立って自分が言おうとしていることや書こうとしていることを聴き、読むことができていなければ、その内容は単なる思いを超えた客観的な言葉として定着していくことができないのです。

しかし、大学院生くらいになると、当人はかなり長い時間、自分のテーマについて資料を集めたり、考え続けたりしているので、しばしば自分の研究を過剰に抱え込んでしまうということが生じます。つまり、自分の考え方に凝り固まって、違う立場や違う関心の他者の視点から物事を考えることができなくなってしまうのです。そうなってしまうと、概して研究は行き詰まります。細かい穴埋めが多くなり、現在の自分の枠組を壊してもっと新しい地平から物事を捉え直すことができなくなるからです。これでは、せっかく素材がよくても、そして本人が知的に賢くても、伸びるものも伸びなくなってしまいます。

この落し穴から抜け出すためには、本人があまりにも馴染みすぎてしまった前提が、一度、叩きつぶされなくてはいけません。自分が素晴らしい考えだと手応えを感じていた議論の筋立てが、一度、徹底的に批判されるべきなのです。自分の考えが相手には伝わらない経験をして、それでも相手を視界から排除するのではなく、そのような相手に伝わるようにするにはいったいどのような論の組み立てをしなければならないか、真剣に考えていくことが必要です。まさにそのような他者への説得術として、知的創造が生まれるのです。

ただ、ここで少々やっかいなのは、聴き上手が話し上手、読み上手が書き上手とは限らないことです。私が教えてきた学生のなかには、他の学生が話すことにコメントするのがとてもなく上手で、本を読んで要点をつかむのもとても高い能力を持っている人が何人かいました。ところがそのすべてが、自分の考えを人前で上手に話せたり、人の心を深く動かすような文章を書けたりするわけではなかったのです。他者の語りを理解し、そのポイントを要約し、これに鋭いコメントをしていく抜群の能力を持っている若者が、自分の研究のことになるとなぜ途端に創造性を失ってしまうのか——この疑問に、私はいい答えが見つからずに何年も悩んできました。なぜならば、聴き上手、読み上手ということだけならば、彼らは私よりも高い能力をすら持っているように思えたからです。なぜ、それほどの知的能力を持っている若者たちが、その知的能力を創造性に結びつけることができないのか——。

この問いに対する私なりの答えを、とりあえずやや先回りして述べておけば、相手の話に優れたコメントをしたり、本や論文の要点を上手にまとめられたりすることは、対話やコミユニケーション、創造的な協働の必要条件ではあるでしょうが、十分条件ではおそらくないのです。なぜならば、これらの対話的な実践が成立するためには、相手のまなざしとの関係において自分が何者であり得るのか、つまりは自分の立場やなそうとしていることを自覚的に語れなければならないのです。ここにおいては、やはり自分自身の側にも、言いたいこと、言わなければならないことが、ある種の執念のようなものとしてなければならないことになります。若い学生には、一方では自分の言いたいことがあっても、それを抱え込んでしまう人と、他人のことはとてもよくわかるのに、自分のことになると急に方向が定まらなくなる人がいて、どちらの場合も本人だけでは解決不能なことが少なくありません。

3　本書の目的と構成

さて、知的創造の方法に関しては、すでに多くの類書があるなかで、いまさら私が知的創造について語ることにどれほどの価値があるのでしょうか。しかし、この本で私がやろうとしているのは、こういうメソッドで勉強をすれば、あるいは研究を進めていけば、知的創造ができるということの指南ではありません。もちろんそういう方法論についても、特にこの本の前半では触れていきますが、しかし私は、知的創造について、個人がいくら頑張ってもそれには限界があると考えています。そうではなく、大学の教育研究体制や図書館の仕組み、さらには知的所有権や情報公開、文書管理などの社会的体制そのものの革新を含め、知的創造を可能にする制度的な条件とは何なのかを考えていくことが重要です。

ですから、本書の狙いは、これまで語られてきた知的創造の方法で議論を終わらせず、知的創造の社会的条件にまで話を展開していくところにあります。そうしたなかで、今日の日本の学問的活動が全体としてあまり創造的ではなくなっているのはなぜなのか。創造性を奪還するにはいかなる条件整備が不可欠なのかについても考えていくつもりです。

この本の見取り図をあらかじめ示しておくと、個人的な経験から出発して歴史的条件に至るというのが基本構図です。第1章の「はじまりの一歩」では、私自身の個人史をお話しします。私の知的創造など、それ自体はたいしたことはありません。しかし、私が考える知的創造がいかにして可能になるのかを、自身の経験を素材として話してみることで、読者のみなさんと「知的創造」についてのイメージを共有していきたいと思います。

これまで述べてきたことから明らかですが、私の知的遍歴についてのこの話は、私が過去に書いてきた本や論文の内容をたどることでは決してありません。その時々で私が何を考えてきたのかも、さほど重要だとは思いません。そうではなく、その時々に私が行ってきた知的営為は、いかなる他者に向けられていたのか。つまりどのような関係性の中で、私は何を考えていたのか。そこでの関係性のとり方が、最も重要な部分だと考えます。

別の言い方をするならば、知的創造の第一の条件とは、いい人との出会いなのです。いい人といかに出会うかは、残念ながら、自分の努力ではどうにもならないところがあります。出会いの歴史的な条件には、第一に世代があります。これはもう運命的で、すばらしい同世代の仲間に囲まれる場合もあれば、そうでない場合もあることでしょう。どちらであれ、「私」という存在を成り立たせている歴史的条件である点では変わりません。もちろん、世代だけでなく、家族とか地域とか、それからこれは、お金持ちがいいということではなく、むしろ貧しい階層に生まれたほうが、知的には非常に可能性があるということも含めて、自分が生まれた社会的条件というものがあって、これは個人の力ではどうにもなりません。その社会的な、あるいは歴史的な条件を前提にして、それぞれの人間の知的な営みは成立しますし、それが「はじまりの一歩」だということをまずは述べておきたいと思います。

そして第2章では、特に大学の教室という場で、知的創造はいかに営まれ得るのかという話をしていきます。教室というのは、教師と学生の対話の場です。しかし両者の関係は対等ではありません。一般的に言って、教師と学生では知識の総量や物事を論理立てて考え、議論や文章にしていくときの熟達度が違います。だからこそ、学生は教師から学ぶという関係が成立するのですし、この不均等性は必ずしも抑圧的なものではないはずです。むしろ、教師が時には意識的に学生をいわば抑圧することで、新しい学びを可能にしていくこともあり得ます。ですから、教師の多くが「アカデミック・ハラスメント」で学生から糾弾されることを怖れ、やたら学生に対して優しい言葉で語りかけるようになっている現状は、本当に学ぶ者を主体とする教育に近づいているのか、大いに疑問のあるところです。

第3章の「ポスト真実と記録知／集合知」では、図書館とネット検索の関係、インターネットがもたらした開放と閉塞について論じます。とりわけ知識における作者性と構造性、知的創造の横断的ネットワークとしての研究会やエンサイクロペディア、集合知と記録知の関係、その中での出版の役割が、ここでのテーマとなります。

最後の第4章では、ＡＩと知的創造の関係、グローバルなデータ資本主義のなかでの人間的思考の問題を取り上げたいと思っています。ＡＩが高度に発達させたのは、パターン認識に基づく予測可能性です。それが、人間の知的創造性を超えてしまう日は本当に来るのか。そこを問うところから、予測の地平を超えて未来を想像する力とは何かが見えてきます。この問いは、知識と資本主義の関係を、歴史的にどう捉えるかという課題につながります。

では早速、始めましょう。「知的創造の条件」の、「はじまりの一歩」です。

第1章

はじまりの一歩

1　知的創造は時代と世代に条件づけられている

この本のタイトルは『知的創造の条件』です。つまり、これから知的創造とは何かについて話をしていくわけですが、その際に私は、知的創造が時代を超えて普遍的なものとしてあるとは思っていません。知的創造は、それぞれの時代の拘束を受けています。幕末、あるいは明治大正期に創造的であったことと、戦後、そして高度成長期に創造的であったこと、さらに一九九〇年代以降の現在に創造的であることでは組み立てが違います。つまりそれぞれの時代の創造性は、その時代の歴史的刻印を受けているのです。そのことを最も明瞭に示してくれるのは、〈時代〉と〈世代〉の相互に不可分な関係です。知的創造性には、それを担う世代に固有のある世代的なかたちがあると言ってもいいかもしれません。

私は一九五七年四月に生まれ、東京オリンピックのあった一九六四年に小学校一年生になっています。そして、小学校を卒業するのが大阪万博の開かれた一九七〇年です。私が生まれた一九五七年を振り返ってみると、この年、米軍の立川基地拡張をめぐり、反基地運動と警官隊が砂川(すながわ)町で衝突し、一〇〇〇人単位のけが人が出る事件（砂川事件）が起きています。五〇年代を通じ、日本列島では朝鮮戦争のための基地化が進み、それに反対する闘争が全国的な広がりをみせていました。一九五四年には、映画『ゴジラ』を生むきっかけとなった水爆実験がビキニ環礁で行われ、第五福竜丸の乗組員二三人が被曝しています。

つまり一九五七年頃まで、まだ戦争の影が色濃い時代がずっと続いていたのです。ところが、私が生まれた翌年に東京タワーが竣工し、皇太子成婚のフィーバーが始まっています。正田美智子さんが皇太子妃となり、ミッチーブームが巻き起こったわけです。テレビが家庭に普及し始め、時代の潮目は明らかに変化しつつありました。そして私が幼稚園児から小学生へと育っていくのは、まさに東京五輪と大阪万博をつなぐ高度経済成長の時代でした。

私が中学一年のときに起きた最大の出来事は、もちろん大阪万博です。東京に住んでいましたが、私は万博に二度、行っています。そのうち一度はクラスの友達と行った旅で、修学旅行などを別にすれば、両親から離れて子供だけで新幹線に乗って大阪まで行くのは冒険だったはずです。大阪万博で何を見たかはうろ覚えですが、高校生の頃まででしょうか、私の部屋の押し入れには段ボールの中に大阪万博で集めてきたパンフレット類やスタンプがどっさりあったのを思い出します。後に、万博についての本を書くことになるなんて考えていませんでしたから、それよりもずっと前に大半は捨ててしまいました。

自著との関連でいえば、一九七〇年代は、まだアメリカの文化的影響が圧倒的に大きかった時代です。大阪万博の目玉が「月の石」であったのもその象徴と言えますが、音楽面でも、当時はまだ洋楽の時代で、高校時代の関心もイギリスやアメリカのロックバンドにありました。そういうイギリスやアメリカからのミュージシャンが来日すれば、高校生の私はクラスの友人たちとよくコンサートに行っていましたし、原宿や六本木、それに新宿のロック喫茶にしばしば足を運んだのを覚えています。なぜ、それが原宿や六本木だったのかを理解するのは、ずっと後のことです。私は、やがて自分が本のなかで浮かび上がらせていくことになる「戦後」という舞台の上で、一人の若者として踊っていたのだと思います。

私が大学に入ったのは一九七六年です。七〇年代初頭までは紛争の時代です。連合赤軍による浅間山荘事件が一九七二年。その頃までに大学生になった世代は、多くが大学紛争を引きずっていました。学内には革マル派とか中核派といったセクトがあって、それが内ゲバを繰り広げていた。そういう時代が七四年ぐらいまで続きますが、七〇年代半ば以降、大学キャンパスから急速に政治は後退していきます。私のように、その頃に大学に入った世代は、大学生文化が政治系から演劇や映画、音楽といった文化系に転換する時期に学生生活を送るのです。先ほど申し上げたように、私が生まれたのは、日本が政治の時代から経済の時代へと転換する時期でしたし、大学に入ったのは、今度は大学という場が、政治の時代から文化の時代に変わる転換期でした。そういう中で、私は自己形成をしてきたわけです。

今、自己形成と言いましたが、私たちの自己形成にとって社会との関わりが決定的に重要なのは、一〇代半ばから二〇代初めにかけて、つまり中学生から大学生までの時期です。私がその年齢だった一九七〇年代は、戦後日本のより大きな歴史の中で捉えるならば高度成長期からポスト高度成長期へ、戦後からポスト戦後への移行期でした。この時代は、戦後復興や高度成長の、つまり怒濤のような右肩上がりの時代がほぼ終わったけれども、バブル経済とかグローバリゼーションはまだ来ていない端境期でした。ポスト工業化社会や情報社会ということはもう言われていましたが、金融バブルやネット社会はまだ先の話で、社会の想像力はまだ大きく工業化社会のそれに囚（とら）われていました。しかし、その工業化社会の負の遺産、とりわけ公害問題がクローズアップされ、社会の意識は変化し始めていました。

そのような時代に、私は中学生から高校生へ、そして大学生へとなっています。この世代的な自己形成は、私以前の、たとえば一九四〇年代末生まれの団塊世代とも、また私以後の、たとえば一九七〇年代生まれの団塊ジュニア世代とも異なります。これらの二つの世代（団塊世代と団塊ジュニア世代）は、日本社会が大きな構造転換を経験するまさにその激動期に大学生や就活期が当たった世代で、それがちょうど人口ボリューム層でもあったことは、その後の日本全体の運命に大きな影響を及ぼしました。私はどちらかというとそうした社会が大転換を経験した後の時代に自己形成をした世代で、その意味では二〇〇〇年代半ば以降に自己形成していく一九八〇年代半ば以降に生まれた世代と位相的には似ています。

同じことを、時代の側からも説明しておきましょう。高度成長期の一九六〇年代は、私はまだ小学生です。小学生という時期は、自分の家族やせいぜい学校の先生、級友たちとのやりとりが自己形成の基本をなしている時期で、それを超えた社会の状況から直接的な影響を受けるということはそれほどありません。他方、バブル期とかポストバブル期になると、私はもう二〇代の終わりから三〇代になっています。すでに最初の本も出版していて、若手研究者として走り始めています。この頃までには、ある種の自己形成を遂げてしまっているというか、自分のものの考え方とか生き方とか、社会との対し方の基本は固まってしまっていて、そう簡単には揺らがなくなっています。ですから、バブル期以降の日本社会の変化によって、自分のあり方が根本からつくり変えられるということはありませんでした。

2　創造的な世代——一八三〇年代生まれと一九三〇年代生まれ

このように一〇代半ばから二〇代にかけての時代との遭遇が、その後のその世代の歴史的想像力を条件づけていった例は、他にもいくらでも挙げられます。その最も顕著な例は、幕末維新の志士たちの世代です。いささか司馬遼太郎っぽくなりますが、明治維新を起こしていったサムライたちの非常に重要な特徴は、彼らが驚くほど生まれた年が近く、同世代に属していたことです。たとえば、坂本龍馬は一八三六年生まれ、榎本武揚（えのもとたけあき）も同じ三六年生まれ、三条実美（さねとみ）は三七年生まれ、大隈重信は三八年生まれ、山県有朋（やまがたありとも）も同じ三八年生まれ、高杉晋作は三九年生まれ、伊藤博文は四一年生まれです。ほとんどが一八三〇年代の後半に生まれており、まったく同世代です。彼らにとって、共通の決定的な時代との遭遇は、一八五三年のペリー来航です。このとき坂本龍馬は一七歳、高杉晋作は一四歳です。つまり、一〇代半ばの若者たちが、黒船来航によって日本が本当に欧米列強に植民地化されるかもしれないという危機感を抱いていく。これがその後、この世代を一八五〇年代から六〇年代にかけての動乱の時代に向かわせていった最大のモメントであったと思います。ある歴史的危機が、そのとき一〇代だった世代に強い方向性をもった集合的意識を醸成したのです。

そしてそれから一〇〇年後、一九三〇年代後半に生まれた世代も実にユニークです。というのも、一九三六年生まれの栗原彬（あきら）、三七年生まれの見田宗介（みたむねすけ）、三八年生まれの井上俊（しゅん）というように、日本の社会学で私が影響を受けたほとんどの先生たちがこの世代に集中しています。社会学だけではありません。私は建築家の原広司（ひろし）先生の研究室にもいたことがありますが、原先生は一九三六年生まれです。演劇でいえば、一九六〇年代末から七〇年代にかけてのアングラ演劇をリードした寺山修司は一九三五年生まれ、鈴木忠志（ただし）は一九三九年生まれ、唐十郎は一九四〇年生まれです。つまり、私たちの世代が圧倒的に影響を受けた学問からアートにいたる知的創造性は、まさにこの一九三〇年代後半生まれの世代のものでした。彼らは一〇代半ばから二〇代にかけての日々を占領期からポスト占領期にかけて、つまりまだ日本が貧しく、しかし政治的には激しく揺れ動いていた時期に過ごしています。この世代共通の自己形成の歴史的条件は、それ以前の世代のように「戦争」でもなければ、それ以後の世代のように「（経済）成長」でもありませんでした。その中間、二つの体制の狭間に生じた「解放」を実感として経験できた世代だったように思います。

以上のように、知的創造性は常に〈時代〉と〈世代〉に条件づけられています。どんなに天才的な創造と思われているものでも、最初はこの時代的であると同時に世代的な条件づけのなかで胚胎しているはずです。ですから知的創造は、根本的に歴史的な実践です。それぞれの時代を生きる、それぞれの世代の人々が、自らを取り巻く歴史的条件の中で、その条件に挑戦し、それを超えていこうとするときに創造性が生まれます。ここでの歴史性は、歴史に名を残すというような大上段の歴史の話ではありません。どのような分野であれ、みなさんが卒論や修論を書く。あるいは博論や新しい研究をまとめる際、それは必ずやミクロなレベルででも歴史への挑戦になっているはずです。その挑戦は、半世紀前では理解されなかったでしょうし、半世紀後にはもう意味を失っているかもしれません。しかし今、この時点で、みなさんには同時代への挑戦としてこだわるべき課題があるはずなのです。

3　第1の出会い――小学校の教室で

さて、「はじめに」でも述べたように、世代的条件の次に私たちの知的創造を条件づけていくのは、重要な他者との出会いです。出会いには、もちろん恋人や伴侶との出会いのような人生にとって決定的なものもありますが、それ以外で最も重要なのは、一つは師との出会い、もう一つは友との出会いということになるでしょう。師との出会いとは、基本的には先行世代の先達との出会いです。多くの場合、両者の間には一世代以上の距離があります。友との出会いとは、基本的には同世代内での出会いです。もちろん自分と同世代の人を師と仰ぐこともあるでしょうし、世代を超えた友情もあるでしょうが、全体として言えば、この出会いの垂直性と水平性の間には、世代的距離とのある程度の相関があります。よき師と出会えるか、あるいはよき友と出会えるかは、かなりの程度、偶然に依存しています。

ただし教師の側から言えば、毎年、ある一定数の学生が選抜されてその学校に入学してくるわけですから、この出会いは必ずしも偶然的ではありません。その教師との出会いが学生にとってどれほど創造的なものになり得るかは、教師の資質もありますが、同時にその学校の様々な教育上の仕組み、科目編成であるとか、学びをサポートする仕組みであるとか、教師側の雑務の忙しさであるとかいった諸要因によって条件づけられています。

他方、友人との出会いにしても、それが知的創造性にどう結びついていくかは、必ずしも偶然性だけに左右されているのではありません。長年、大学で教えてきた経験から言えることですが、大学生や大学院生の間で創造的な友人関係が形成されるタイミングには、一定の法則性があります。新しい学科や教育プログラム、制度に革新的な変化があると、新たにその仕組みに参加してきた初期の学生の間には特別の連帯意識が形成され、そうしたチームの中からその分野の次なる知的創造性をリードする一群の新世代が現れます。つまり、新しいプラットフォームの誕生とそこに集まってきた若者たちの間での友情の形成、そして一群の者たちの知的創造性の発生の間には、緩やかな構造的相関関係があるのです。

ですから、師とのよき出会いや友とのよき出会いは、ある程度は偶然ですが、ある程度は必然で、構造的に条件づけられています。私たちはこの構造局面を人為的に変化させていくことで、知的創造性を極大化させていくことも、極小化させていくこともできるのです。もちろん、私が本書で目指しているのは、それを極大化する方向ですが、現実のここ数十年の日本社会の変化は、むしろ縦割りの壁を厚くし、内部での規則順守や諸々の雑務を増大させていくことで、創造性を極小化させていく方向に向かってきたように思えます。少なくとも私には、自分が育ってきた一九六〇年代から七〇年代にかけてのほうが、今よりも豊かな師や友との出会いの瞬間が、小中学校や高校にあったような気がしてなりません。

私が現在に至る自己の原基を形成したのは、小学校高学年のときの担任の先生との出会いでした。私は東京都大田区立の小学校に通っていましたが、そこで五、六年を担任されたのは野村昇司（しょうじ）先生という、児童文学者としてやがて多数の本を出され、教員を辞められた後は神奈川県逗子市の教育長もされた方でした。この野村先生は、まだ小学生の私たちに対し、彼が書いていた最初期の作品である『希望の漂流』（あすなろ書房、一九六九年）のエピソードを毎週のように昼休みに読み聞かせ、作品の意図らしきものについても話されたように思います。この作品は、工業化の中でノリ田が埋め立てられ、子どもたちの遊び場だった海の小島が失われる過程を、その埋め立てられた海の彼方にまだ海が広がっていることに希望を持ち続ける子どもたちの目から描いていました。児童文学ですが、工業化や公害、規範からの脱走とユートピアなど、かなり高度なテーマが埋め込まれていたように思います。私たちはその「お話」を、読み聞かせする先生と一体のものとして受け入れていました。

私たちは野村先生の誘い水に刺激されてガリ版刷りで自分たちの文集を作り始め、それは結局、かなり厚い文集になります。そして、そこで相当に長い文章を書き続けたことが、今日、このように文章を書いたり、話したりするようになる原点となったのだと思います。ちなみに分野は違いますが、同じクラスから大学教師になった友人が何人もいますし、野村先生はごく最近、亡くなられる直前まで逗子を拠点に講演活動を続けていらっしゃいましたから、彼はまったく普通の先生ではありません。そのような特別な先生と小学校高学年のときに出会うことができたのは、私の僥倖です。しかし振り返ってみると、一九六〇年代までの小学校では、中学受験は今ほどには一般的でありませんでしたから、子どもたちは小学校高学年の時間を、今よりもずっと自己形成の基礎として使うことができたように思います。その分、中学三年の一年間は、ほとんど受験のために空費される運命でしたが――。

　昔話をもう少し続けさせてください。私は受験もせずにそのまま区立の中学校に通い、中学三年ではそれなりに猛勉強をして高校から茗荷谷にある教育大附属高校に通うこととなりました。中学と高校を通じ、野村先生のような師には私は出会っていません。ただ、高校時代の友人たちとのつながりは影響大で、おそらく多くの人が同様の経験をしているでしょうが、高校の友は一生の友となります。彼らとの忘れがたい思い出が、授業で何かをしたことではなく、むしろ授業をサボって喫茶店にたむろし、池袋や新宿、原宿や六本木で遊んだ経験だったというのも、一九七〇年代特有の時代性を帯びているかもしれません。

　そんなこんなで一九七六年、私は東京大学の理科Ⅰ類、つまり普通ならば工学部や理学部に行くコースに入学します。別に理工系で特別にやりたい分野があったわけではないのですが、私はどうも昔から暗記が苦手で、古文や漢文は大の苦手、英語も出来は悪いほうで、世界史や日本史も事項を覚えるのが嫌でした。ですから、そうしたことの少ない数学や物理のほうが、まだ御しやすいというただそれだけの理由で理系を選んでいました。もうお気づきのように、人生はわからないもので、当時は苦手意識があった世界史や日本史、英語なしには過ごせない日々を、今の私は送っています。その半面、大学受験の際の支柱だった数学や物理とはすっかり縁遠くなって、数式も法則も今ではもうチンプンカンプンです。

なんでこんな人生の方向転換が生じたのか、これからお話ししていくつもりですが、その前に大学一年生のときにした三カ月の一人旅にちょっとだけ触れておきましょう。大学にはどうにかこうにか短期集中型の猛勉強で滑り込んだものの、目的が明確にあったわけではないので、授業もとりあえず出ているという程度の熱心さにとどまります。どこか自分を持て余していたようなところがあり、ヨーロッパを一人旅してみようと決めました。

当時最も安かったパキスタン航空を使い、カラチ経由の南回りでロンドンに到着します。今のようにネットで予約するシステムなどありませんから、すべて現地に到着してから宿を探していくわけです。ロンドンの安宿は無性に寂しく、無味乾燥な大都会に圧倒されてスコットランドに脱出しました。そこでちょっと心の安定を取り戻し、イギリスの後はパリからスペインへ、そしてモロッコへと渡りました。そこから船でイタリア、ギリシャへと渡り、ドイツやオランダを回って帰国します。二カ月半の長旅で、自分の中では旅人でいることが日常化していきます。何か劇的なことがあったわけではありませんが、様々な海外の人々と出会うことで、世界のどこにいても、誰とでも話すようにはなっていった気がします。

4　第2の出会い――キャンパスの芝居小屋で

　私がそれまで体験してきた、たくさんの無駄なことが、ある一つの方向へと収斂していく上で、演劇との出会いは不可欠でした。けれども、この演劇との出会いも、まったくの偶然から生じます。一九七〇年代、東京女子大学の校門を入って右側に回ったあたりに、「綺崎」という劇団のバラック小屋のような稽古場がありました。ある時、高校時代から仲のよかった友人と、その劇団の稽古をたまたま見に行ったのですね。当時、如月小春さんがその劇団の中心で、エチュードといって、ラジカセ（ラジオカセットレコーダー）を横に音楽を流しながら、プラスチックバットを片手に持った彼女のリードで、体をスローモーションやストップモーションで動かすとか、即興的に出会うとか、言葉をいろいろ解体しながら体の動きと結びつけていくとか、そうした諸々の集団的な身体訓練をしていました。

　たとえば、そのなかの即興的な出会いでは、普段の自分とは異なる人物になりきるようにあらかじめシチュエーションが設定されていますが、台詞も決まっていなければ、シナリオもない、そのシチュエーションの中で、とっさに感じる役を自分で考えるわけです。二人なり三人なりが、その時々に与えられた場面のなかでスローモーションからストップモーションに移り、ある瞬間に如月さんから「出会い！」と言われて、相手に対して即座に自分を作っていく。そうすることで、お互いに作用を及ぼしていくという、相互的なインタラクションを演じる訓練を何度も違った形でやるのです。

ですから、その時、その瞬間、相手にとって、自分は何者であり得るのかを瞬時に、それこそ無意識に判断し、それを演じなければいけないわけです。それができないで勝手に自分の役を作ってしまうと、その演技は独りよがりなものになってしまい、相手は当惑するだけで、ドラマらしいドラマは成立しません。しかし、相手の意図を柔軟に察知して、それに合わせて演技しても、場面は全然、スリリングにはならないのです。むしろ意固地なくらい、自分がその瞬間に自分の中に発見したものにこだわる必要がある。からだの中に実は抱え込んでいる様々な無意識の記憶を蘇らせていく必要があるのです。

頭でっかちで運動神経の悪い私は、この種のことはまったく駄目でしたが、瞬間的に上手にやれる人もいました。そういう人は、自分の中に、こういうシチュエーションなら、こういう自分を出すとか、こういう風に言ってみるといった引き出しをいくつも持っているんですね。しかし、そういう上手さとは違って、圧倒的にその場を制するような持ち味を出してくる人もいて、この種の人は、普段は全然目立たないけれども、舞台と状況が与えられると豹変し、日常では気づかれていない身体的なイマジネーションを表出できるタイプです。エチュードで求められていたのは、まずは与えられたシチュエーションの中で、即座に自分をポジショニングしながら、相手に働きかけていくことでしたが、そのような設定を時には壊し、全然違う世界に相手を引きずり込んでしまうことも期待されていました。

前者のパターンは、プロの俳優や芸人ならば当たり前のことですから容易に想像がつくでしょう。しかし、知的創造という本書のテーマからより興味深いのは後者です。演劇的なトレーニングを積んでいれば別ですが、普通の人間は、「出会い！」と言われた途端に頭の中が真っ白になって、何もできずに固まってしまいます。そういう人が、頭の中は真っ白なままなのだけれども、与えられた文脈をからだで感じ取って、誰も予想もしなかった動きを突然始めることがある。その変容が、観ている人をドラマにのめり込ませていくのですね。既知の状況から、そんな展開があるなんて思ってもみなかったし、次に何が起こるかわからないというスリルが、人を魅了するのです。私は劇団綺畸に在籍している間に、本番よりもむしろ稽古の場で、メンバーのからだの中にあった無意識の記憶が、突然、その場のシチュエーションを大転換させるような仕方で立ち現れる瞬間に何度か出会いました。そんな瞬間が魅力的で、大学生の後半は演劇にのめり込んでいくことになったのです。

如月小春という人は、劇作家としても優れていましたが、それ以上にエチュードという場で役者の情況を把握し、どういう突っ込みを入れたらいいのかについての判断が天才的でした。一方では、とても知的に考えていて、その意味で冷徹な人でしたが、同時にとてつもなく感覚的な人で、いわば超感覚が知性の先を行っていました。ですから彼女は、この学生劇団の中で知的巫女のような存在で、その巫女の託宣に、ちょっと常人ではできない天才的なものを感じながら、集団がなんとか彼女の想像力に追いつこうとしていたのが実態だったと思います。集団的な知的創造の産婆役を演じていたというべきでしょうか——。

5　記号のうごめきの中に成立する演劇とは

その如月さんが当時、やろうしていたことの何が新しかったかというと、高度成長期以降に生まれ育った私たちの身体は、何か依拠すべき本源的な肉体だとか、本来的な自己だとかいうようなものをもはや持ち合わせていない。私たちはもう空っぽであって、何もないということから出発して、演劇がいかに可能かを意識的に考えていたことだと思います。

彼女以前の、たとえば唐十郎さんの状況劇場に代表されるアングラ演劇は、言葉＝意味を基本とする新劇の拒絶から出発し、肉体＝言葉であって、意味なんてどうでもいい、言葉としての肉体を舞台上に浮上させることを演じてみせた。それに対して如月さんは、そのような演劇的なるものの底にある空虚を見つめるところから出発しようとした。自分たちの身体はもはや空虚で、単なる記号でしかない。そのような記号のうごめきの中に成立する演劇とは何か、そのことを表現するのが、あの時点での彼女の挑戦だったと思います。

　彼女がそうした方向に向かった頃、まだ学部生だった私は、その如月演出の助手をしていました。如月さんは感覚が先走る人ですが、私はあまり感覚的な人間ではないので、彼女が話したことに対し、論理的にはここが納得できないとよく話していました。演劇を論理的に作っていったら、そんな芝居は絶対につまらなくなるのですが、しかしそれでも本書の冒頭でお話ししたように、学問的想像力に直観が必要なのと同様、芸術的想像力には論理が必要だと私は考えています。この考えは昔も今もそれほど変わらず、超感覚的な如月さんを前にすると、それしか彼女に対抗できる武器は自分にないと感じ、彼女の芝居を理屈で考えると何が目指されなくてはならないのか、その時々にコメントしていたように思います。

　そんな作業も経つつ、一九七九年に如月さんの出世作となる『ロミオとフリージアのある食卓』（『如月小春　精選戯曲集』新宿書房、二〇〇一年）が上演されます。これがどういうドラマだったかというと、奇夜比由烈徒（きゃぴゅれっと）家の人々が、路美男（ろみお）というヒーローがやって来るのを待ちわびている。ある日、デパートの配達で来た青年を無理やり引き入れ、あなたが路美男でしょうと言って、あの手この手でその気にさせていく。地域の人々もそれに加わって、その青年を路美男というキャラに仕立て上げていき、最後は本人もすっかりその気になってしまう。実はそのプロセス全体が、ある種の市民参加型のスペクタクルで、みんなが悲劇の主人公との共演を楽しんで消費している。そして最後には、シナリオ通りのクライマックスが来て、市民たちはああ面白かったねと去っていく。後の舞台には、ただ倒れたままの路美男が残される、というドラマです。

実はこれ、映画『トゥルーマン・ショー』（ピーター・ウィアー、一九九八年）とよく似た構図で、一種のリアリティショーを、市民たちが仕立て上げていくのです。そして実は、奇夜比由烈徒(きやぴゆれつと)家自体が本当の家族ではなく、このドラマを仕立て上げるために集まった市民たちでした。一九九〇年代以降、欧米の映画やテレビに出てくるそうした作劇に、如月さんははるかに先駆けていたと思いますね。しかも、『トゥルーマン・ショー』の場合には、全体を統御しているビッグ・ブラザーがいるのですが、『ロミオとフリージアのある食卓』の場合には、市民たち自身が虚構の作り手です。この上演では、最後の最後になって種明かしがされるので、それまでは観客も、ドラマチックな展開をそのまま受け止めています。そして最後になって、すべてが最初から仕組まれた虚構でしかなく、それを市民たちが楽しんでいたことがわかるのですが、実はこの虚構を楽しんでいたのは、その劇場にいた観客たち自身でもあるわけで、問いかけのあて先は、本当は配達員以上に観客たちでした。

論理は明快ですが、それをどう演ずるかは別の話です。この芝居を作り上げていく際、演出チームの一人だった私の言葉はうまく役者に伝わらなかった。それで、なかなかうまくいかないことを如月さんに相談したら、こっちの方向に行きたいと思ったら、むしろ逆の方向へみんなを導かないと駄目なんじゃないと言われたんですね。彼女だって、当時は大学を出て間もない若さです。しかし、そんなしたたかなアドバイスを私にした。いやはやこの人にはとても敵わないと心底から思いました。演劇の世界にはこういうすごい人がいるわけだから、私は演劇とは別のかたちで、自分がそこで考えたことを表現する道を探ろうと思うようになりました。それで大学に戻り、大学院に進むことにしたのです。ですから、この演劇との出会いは、その後の私がいろんなことをやっていく時の原点になっています。

実際、その後の私はずっと文章を書き続けていますが、如月さんの下で演出をしていた時に、自分の言葉がうまく役者に伝わらなかったのは、自分が考えたことを相手に伝えようとしたからだと気づいていきます。あの時に本当に必要だったのは、私が言いたいことを言葉にすることではなくて、その役者にとって必要な言葉を発見することでした。ところが当時の私は、相手が必要としている言葉を見つける力をまだ持っていませんでした。

その後、文章を書いていくなかで、ちゃんと表現できたと思える時は、必ずそこには他者がいるわけです。それは読者であったり、何か他の存在であったりするのですが、その他者と自分との中間地点に言葉が成立している感覚がある。ですから、自分の内側にあるものを言葉として出すのではなくて、私がここにいて、誰かと議論をしたり、誰かに何かを届けようとしたりすることで、初めて言葉が紡がれていく。もちろん、うまくいかないこともあります。それも含めて、言葉とは本質的に関係的なものだと感じています。

6　第3の出会い――一九七〇年代の大学で

演劇に深入りしながらも、私は東大の理系コースに在籍する学生でした。しかし演劇にはまり、いろいろ物事を考えるようになると、もっと徹底的に本を読みたいと率直に思うようになりました。演劇論はもちろん、哲学や社会学、人類学の本を本気で読みたいと思うようになったのです。理系の授業でするのは、実験を積み重ね、数式を解くことばかりで、本を読むことはあまり要求されませんでした。他方、当時の東大では、全学一般教養ゼミナールといって、分野横断的に一、二年生を対象としたゼミが行われていました。私は馬場修一先生がやっていた社会学系のゼミに参加し、ルカーチやマンハイム、フランクフルト学派などのテクストを読みましたが、読み込んでいくとこれがなかなか面白い。そして何よりも、酒飲みだった馬場先生は、毎回のように学生を連れて下北沢近辺に飲みに行っていましたが、そういう教師と学生のつきあいにはやはり魅力がありました。それからあと、弓削達(ゆげとおる)先生が西洋史の授業でマックス・ウェーバーについて明快な解説をしていて、その延長線上でローマ帝国の衰亡について考えたのもいい経験でした。そんなことを重ねていくと、いよいよ実験と数式だらけの日常に嫌気がさして、文系に移ろうと決意したのです。

それで、私は理科Ⅰ類から駒場にあった教養学部教養学科相関社会科学分科という、私が進学する年に出来たばかりの学科に進みました。つまり、この分科の第一期生です。ここで過ごした二年間は、教師側も学生側も、東大の中でまったく新しい教育課程を立ち上げていこうという意欲に満ちていたと思います。学生についていえば、私のように理Ⅰから来た人間もいれば、文Ⅰ（法学部系）、文Ⅱ（経済学部系）、文Ⅲ（文学部・教育学部系）のそれぞれから来た同世代が集まっていて、背景や関心はきわめて多様でした。ちなみに、このとき第一期生となったのは一六人でしたが、たぶんその中の約半数が、今は各地の大学で人類学や経済学から社会学まで、様々な分野の教授をしていると思います。つまりそのような連中が、駒場で二年間を共にしたわけです。他方、教師側も、文字通り「キラ星の如き」陣容で、社会学は、私の師である見田宗介先生や先ほどの馬場修一先生、折原浩先生ですが、政治学、経済学系は村上泰亮(やすすけ)先生をはじめ、西部邁先生、佐藤誠三郎先生、公文俊平先生、舛添要一先生などがおり、左派から右派まで一人ひとりの個性が輝いていました。

重要なことは、私たち学生は、立場がかなり異なるそれぞれの先生から養分を吸っていたし、教師側もそこのところはきわめてオープンだったことです。私はもちろん見田宗介先生の門下でしたが、この新コースでは村上泰亮先生の授業にも出ていました。この授業がかなりハードで、必ず毎週三冊の文献を読まされ、小レポートを提出していた。この小レポートを読んで論評を加えるのは、当時はまだ助教授だった舛添要一先生の役割でした。今から思えば、村上先生は、アメリカ式の授業スタイルを新コースに採り入れようとされていたのですね。ですから私たちは、たった二単位、週一回の科目であるにもかかわらず、英語の論文も含めて毎週三つの文献を読み、レポートを書き、授業ではいきなりディスカッションを始めていました。これほどの授業は、卒業単位を要領よく取ることからすれば無茶苦茶効率が悪いのですが、それでも第一期生の大多数が出席していたような気がします。

他方、見田先生のゼミですが、こちらは駒場か本郷か、相関社会科学か社会学かというような制度的な仕組みはほとんど意識されていなかったように思います。見田ゼミはあくまで見田ゼミで、学部の所属はもちろん、東大生であるかどうかもあまり関係なく、むしろ〈近代〉に対する問題意識をベースにした連帯が形成されていました。ですから見田ゼミの開催場所は、駒場キャンパスよりも八王子セミナーハウスだった印象のほうが強く残ります。それでここに、社会学は私や大澤真幸、奥井智之、思想史の中野敏男、政治学の酒井啓子、生命倫理の橳島次郎、人類学の上田紀行、それに大学には残りませんでしたが、身体的な実践やエコロジーに向かっていった内田八州成などのメンバーが集まっていました。この八王子セミナーハウスを拠点にした合宿で、見田先生は大概数時間遅れて来られた。私たちはその数時間、いろいろな議論をしながら先生を待つのですね。しかも、ゼミが始まってからも、見田先生はよくいなくなる。別に所用があったわけではなく、八王子の野山を散歩してこられるらしい。そんなアメリカ式とはまったく異なる授業の時間感覚の中で、それでも私たちは見田先生が常にそこに存在するのを感じながら議論を続行させていました。

大学という空間の可能性は、イデオロギー的には相容れない、鋭く対立する立場の専門家たちが、しかし教育においては連帯し、一致協力して次世代を育てていこうとすることにあります。少なくとも私が経験した一九七〇年代末の駒場はそんな場所でしたし、相関社会科学分科でも、おそらく八〇年代半ば頃まで、そうした雰囲気が維持されていたのではないかと思います。残念ながら、一九八七年から八八年にかけて発生したいわゆる中沢事件、すなわち中沢新一さんの東大助教授採用をめぐるごたごたで、この均衡は決定的に崩壊してしまいました。私自身は、様々な批判がなされても、中沢さんが駒場の助教授として迎えられていたほうが、その後の東大駒場ははるかに活性化していたはずだと思いますが、実際はそうはなりませんでした。さらに九〇年代以降、大学院重点化や国立大学法人化のなかで内部組織が複雑化し、教師たち自身が目の前のことに忙殺され続けることで、七〇年代の大学にはあった異分野横断的な学びの空間が急速に衰退していったと思えてなりません。

実は私は、大学院を一度落ちています。演劇と学問をつなぐ研究がしたいと思って、駒場にはまだ大学院がなかったので、本郷の社会学研究科を受けたのですが、最初は受け入れてもらえませんでした。行くところがないのでどうしようかと思っていたら、建築家の原広司先生が、都市に興味があるなら研究生として一年、自分の研究室で建築家の連中と一緒に過ごしてみたらと誘っていただき、しばらく原研究室に居候することにしました。もともと原先生とは、駒場キャンパスの教養学科に来られていた時に、その授業に出ていて、いろいろ私が発言するものだから、面白がって相談に乗ってくださっていました。

それで私は教養学科を卒業後、当時は六本木の旧近衛師団の兵舎を研究所にしていた東大生産技術研究所に通っています。先輩には隈研吾(くまけんご)さんや竹山聖(きよし)さん、宇野求(もとむ)さんがいて、ちょっと自分よりも若いところで数年前に急逝してしまった小嶋一浩さんがいる。そんな中で過ごしていました。むろん建築はド素人ですから、研究室の仲間に教えてもらいながら建築見学や街並み調査に行き、図面は描けないので彼らの作業に勝手な感想を述べるくらいしかできません。それでも、異分野の同輩から学ぶことは少なくありませんでした。

見田先生は時間論的に常人とは違う感覚の持ち主ですが、原先生は空間感覚が根本的に常人と違います。かつて大江健三郎さんが言い当てたように、原先生は文字通りの野生人で、サハラ砂漠を放浪する遊牧民のような空間感覚をお持ちです。見田先生が、ゼミの最中でも八王子の野山の散歩に消えてしまうのに対し、原先生は街並みの調査などに行くと、これまた途中でいなくなって、探すとバス停のベンチで寝ています。身なりもちょっと野人的なので、ホームレスと間違えられても不思議ではない。あるいは研究室のメンバーで三宅島に合宿に行くときなど、行き帰りの船はひたすらトランプの大貧民、宿の夜も麻雀に明け暮れるのですが、昼、原先生は銛（もり）をもって海に向かい、両手一杯の魚を獲ってくる。それを学生たちが海辺で焼いて食べるのです。まさに狩猟民で、農耕民族とは違う空間を生きている。

　こうして私は一九七〇年代後半の東大駒場キャンパスで、見田先生や原先生をはじめとする多くの先生方に出会いながら、少しずつ学問の世界に近づいていきました。今にして思えば、七〇年代の東大駒場は、東大の歴史でも、日本の学問史の中でも、特異な知的創造の条件を備えていたように思います。その条件は、少なくとも一九四〇年代までの東京帝国大学には存在しなかったし、九〇年代以降の東大からも消えていった気がするのです。

　七〇年代の東大、そして日本の知的世界に特別の創造性が生まれていたとすれば、そこにはいくつかの要因があったはずです。まず、ありそうなのは一九六〇年代末の大学紛争との関係です。学生たちの叛乱は、紛争時に助手や助教授だった若手教員に、紛争に加わらないまでも新しい知的な動きを生じさせました。この動きの中核をなしたのは、占領期からポスト占領期にかけて自己形成を遂げた一九三〇年代後半生まれの世代でした。紛争の中核をなした全共闘世代よりも一〇歳くらい年長の彼らは、紛争が持つ思想上の意味を最も鋭敏に理解できる立場にいました。これに加えて東大駒場の場合、一九七〇年代は、東京帝大に吸収されてしまう以前の旧制一高的な伝統、あるいは戦後間もない頃の一般教養教育の理想がまだいくらか影響を残せたぎりぎりの時代だったのかもしれません。当時、東大駒場キャンパスで教えていた教授陣の知名度や社会的影響力は、社会科学系も人文系もいずれも本郷をはるかに凌駕していました。そのような状況は、駒場がまだ完全には帝国大学の一部とは言えない文化的風土を残していたからこそ可能なことだったように思えます。

7　上演論的パースペクティヴ——劇場から盛り場へ

いろいろ寄り道をした末に、私が大学院に入ったのは一九八二年です。そこで考えようとしていたことは、社会学や人類学、哲学の諸理論を奪用（アプロプリエート）しながら、いかにして演劇的世界像を具体的な社会的現実の分析につないでいくかということでした。そのためには、演劇論の対象を社会全体に広げていく必要がありました。すでに述べてきたように、そのような問題意識は学部時代からのものです。東大駒場での私の卒業論文は、「スペクタクル空間と権力の社会理論に向けて」というもので、半分は演劇論を、半分は社会学や人類学の理論を援用し、その二つをつなぐ方法を考えたものでした。その延長上で、社会＝演劇という見方をするなら、上演の演出家は誰か、俳優は誰か、どういう舞台がセットされ、その中で演じられるドラマのシナリオはどう書かれていくのかが問われます。理論的には、人類学でいえばクリフォード・ギアツの『ヌガラ』であるとか、ヴィクター・ターナーの『儀礼の過程』であるとかを、他方で社会学におけるアーヴィング・ゴッフマンの『行為と演技』を読み込んでいき、さらにケネス・バークの『動機の文法』をも消化することで、社会理論としてのドラマトゥルギーについて考えてみたいと思っていました。

そうはいっても、具体的な研究フィールドは必要です。都市＝演劇という視座を生かすために、分析対象を絞り込んでいく必要がありました。それである時から、都市を演劇として捉えるために、うってつけの場所は盛り場だと確信するようになります。実際、私は大学院生時代、渋谷の円山町に住んでいます。渋谷の道玄坂を上がり、百軒店（ひゃっけんだな）と呼ばれた街区に入ってその裏街を抜けていくと、井の頭線の神泉（しんせん）の駅の近くに出ます。さらにそこから首都高速道路にぶつかる少し手前まで行くと、私が住んでいたアパートがありました。近くに古い銭湯や天理教の教会があり、神泉あたりは芸者さんの検番もまだ残っていて、なかなか風情がありました。周囲に多数のラブホテルもあって、夜になると私の部屋は黄色やピンクや紫のネオンサインで照らされていました。あるとき大学院の友人がやって来て、「よくこんなところで論文が書けるな」と驚かれたことがあります。それで私は、「いや、俺はこの部屋の色と闘いながら論文を書いているんだ」なんで格好をつけてみせたりもしました。

とはいえ私は、そんな盛り場で遊び回っていたわけではありません。そもそもお金がなかったし、時間もなかった。猥雑なエリアのど真ん中に住んでいても、遊ぶよりも観察していました。これはちょっと民俗学的フィールドワークに似ていて、自分の知らない世界、異質な世界に身を置くことで、何かを発見しようとしていました。同時に私は、いわゆる都市社会学とも違うところから都市を考えようとしていました。都市を、文化や自己が演じられる場として捉えるにはどうすればいいのか。そのために、先ほど名前の挙がった先達たちの研究も参考に、上演論的な都市論を構想していたのです。そうして書き上げたのが、『都市のドラマトゥルギー――東京・盛り場の社会史』(弘文堂、一九八七年)という本でした。

ですからこの本は、たしかに盛り場の社会史なのですが、本の眼目がそこにあったわけではありませんでした。発想のコアにあったのは都市を演劇として捉えることで、日本の都市化について、よりダイナミックな構造分析ができると考えていました。本では表面的には、東京の盛り場の中心が、浅草から銀座へ、銀座から新宿へ、そして渋谷へと移動した過程が描かれています。しかし、それぞれの盛り場で起きたことを上演として捉えるならば、単なる文化史的な盛り場の変遷史とは異なる都市化の二つのモメントが見えてきます。

一つは、都市化が進むなかで、地方から都市へと、それぞれが故郷のムラ的な身体を維持したまま集まってきて、それらがぶつかり合ってドラマが生まれる都市化の第一のモメントです。一九一〇年代の浅草や六〇年代の新宿での文化の上演は、そのような文脈で成立していたと考えられます。これに対して都市化の第二のモメントでは、私たちの自己そのものが、消費社会的な場の中で再編成されていく。このモメントにおいて出現したのが、一九二〇年代の銀座であり、また七〇年代の渋谷や原宿であるというのが私の把握でした。そして、この二つの次元が組み合わされた過程として日本の都市化を観察することにより、都市を文化が上演されると同時にそれが構造的に変動していく場として理解できると考えました。

8　第4の出会い――方法としてのカルチュラル・スタディーズ

私たちの人生は、だいたい一〇年単位で大きく位相が変わっていくようなところがあります。私は一九五七年に生まれ、自分というものの形が見え始めるのが小学校の五年生くらいでした。それまでは、学校という場はあるけれども、それ以上に家族の中に自己の機軸がありました。しかし小学校の五、六年生で、恩師と出会ったあたりから一歩、外の世界に踏み出し始めます。そこからの一〇年は、学校での友が最も重要な他者だった時期です。しかし二〇歳前後で、今度は演劇と出会うなかで世界の見え方が変化していく。演劇の視点から都市や社会、歴史を考え始めたわけです。それは私自身が、紆余曲折を経て学問世界に入っていく過程でもありました。そうして書き上げたデビュー作『都市のドラマトゥルギー』を出版したのは三〇歳のときです。この出版で私は、自分が劇団綺畸で活動していた時代から抱え込んでいた課題にようやくケリをつけた気がしていました。

その後、三〇代の一〇年間、私は都市とメディアを主要なフィールドとする若手社会学者として活動していました。盛り場研究の延長線上で博覧会に焦点を当て、中公新書で『博覧会の政治学』(一九九二年)を出したのは三五歳のときです。同時並行で、一方では百貨店やディズニーランドの分析を、他方では電話やラジオ、テレビ、それに映画館の分析を進めていきました。これらの分析には共通性があり、すべてが現代の人工的な都市空間を構成するものです。当時、そのような都市＝メディア空間における文化の上演と、そこにおける権力の働きについて一体的に考える方法を模索していました。そうしたなかで、これらの文化の上演における帝国主義や植民地主義の問題、あるいは階級の問題が、『都市のドラマトゥルギー』を書いたとき以上にはっきりと浮上してきていました。私がカルチュラル・スタディーズに関心を強めたのは、まさしくそんな問題意識の拡大の中でのことでした。

こうして一九九六年、四〇歳になる直前で、私は東京大学社会情報研究所の同僚だった花田達朗さんや水越伸さんと共に、スチュアート・ホールをはじめとするブリティッシュ・カルチュラル・スタディーズの主要なメンバーを東大に招き、四日間にわたる大規模な国際シンポジウムを開きました。このときの成果はすでに本にもまとめられていますし、これまで繰り返し語られてもきたので、ここで再論するつもりはありません。しかし、この国際会議は、私の自己形成にとって、自分自身の思考や実践、研究者としての基本スタイルを大きく変化させていくきっかけとなるいくつかの出会いがあったという意味で重要でした。

その一つは、スチュアート・ホールとの出会いです。基調講演にお招きしたものの、お会いするまで、なぜ彼が同時代の思想界にここまで影響力があるのか、書かれたものだけからでは完全には納得していませんでした。しかし、この疑問は、会って話してみると一瞬で氷解します。ホールとの会話で特徴的なのは、彼が私の質問に答えるという以上に、そのような問いをなぜ私が発するのかを瞬時に理解し、その問いがなされる背景にある問題意識に向けてボールを投げ返してくることです。何度か彼と話し、何度もそういう経験をしましたから、彼と話した無数の人が同じ経験をしているのだと思います。つまり、ホールは天才的な教師なのです。常に相手の言葉のなかに、その言葉が意味するもの以上にその発話行為の基にある構えのようなものを透徹した仕方で見抜き、その構えの足許に向けて最も響く言葉を返してくる。本書で私は、何度も知的創造とは他者との対話の中にしか成立しないと述べてきましたが、ホールほどこの他者との対話に深い意味で鋭敏な人はいません。

そして、この国際シンポジウムから派生したもう一つの、その後の私の一〇年を方向づけることになる出会いは、シンポジウムに来ていた陳光興（チェングアンシン）をはじめとするアジアのカルチュラル・スタディーズ研究者たちとの出会いでした。陳は私とほぼ同年齢ですが、激動の時代の台湾で育ち、アイオワ大学やイリノイ大学で学ぶなかでカルチュラル・スタディーズに深くかかわるようになった人物です。ホールやアメリカのカルチュラル・スタディーズをリードしたラリー・グロスバーグなどとの人脈だけでなく、そのパワフルなネットワーク力でアジア諸国の若手の批判的知識人をつないできました。ですから彼はそもそもグローバルで、それに比べて私はかなりドメスティックでした。

その後、私は陳と二人でオーストラリアを講演旅行することになり、彼には多くの海外の知識人を紹介してもらいました。各地の大学で、彼と私がレクチャーをする旅だったのですが、ある時、彼が私に英文の原稿を読むのをやめて、手許のメモだけで話をしたほうがいいと勧めてくれました。それまで私は、自分の英語力に自信がなかったものだから、拙いながら原稿を作って話していたのですが、お前はかえってそれをやめて話したほうがいいんじゃないか、そう助言してくれたのです。

それで、その時から私は、特に英語で話すときは原稿を作らないことにしました。頭の中で議論の構造をしっかり整理しておき、ストーリーの展開についても把握しておく。それから忘れてしまいそうな英単語は、パワポなりのプレゼン資料にこっそり埋め込んでおく。その上で、原稿なしで相手の聴衆の顔を見ながら話を始めるのです。そうすると、私の英語の発音が改善されたとは思えないのですが、聴衆の反応は全然違ってきます。その聴衆の反応を受けて私のほうも自分の話を展開していきますから、発音はともかく、英語で話すのが楽しくなってきます。自分がそのようなレクチャーに慣れてくると、他の人々の発言も自然に聞き取れるようになってくるし、諸々の質問に対してどう反応していくのがいいかもわかってきます。生真面目に順序だてて説明するのがベストとは限らないのです。

陳のサイドからすると、当時、彼が中心になって全アジア圏をつなぐ仕方で出版しようとしていたCultural Studies の英文ジャーナル Inter-Asia Cultural Studies の日本での中核になる人物を探しており、私が適任と判断したわけです。それで、それからも彼のネットワークの主要メンバーに私は紹介され、陳やシンガポールのチュア・ベン・ファット、インドのテジュスウィニー・ニランジャニ、オーストラリアのミーガン・モリス、韓国の姜明求（カンミョング）や趙恵（チョヘ）

浄（チョン）、中国の孫歌（スングー）や戴錦華（ダイジンファ）、王暁明（ワンシャオミン）等々といった仲間からなる集まりが形成されていきました。私たちは、シンガポール、バンガロール、セブ、北京、福岡、バンドンなどのアジア各地で頻繁に会議を開き、ジャーナル発行と新しい国際学会設立、さらにはサマースクール開設などを計画していきました。一九九〇年代末から、それらの会議でしばしば海外出張し、アジア各地の知識人たちと議論を重ね、また会議後には酒を飲みながら突っ込んだ話をしていったことが、私の物事への対し方のパラダイムを少しずつ変えていったのです。

9 なぜ、実践的な英語力が学びに必要なのか？

そのなかでも英語使用のことは、ここで一言触れておきたいと思います。私はそもそも高校時代に英語が得意だったわけではないし、日本の演劇界も専ら日本語中心の世界です。さらに社会学は、アメリカの学説や手法を輸入することには熱心ですが、大学内で英語ベースの教育の仕組みを立ち上げ、国際的なネットワークを活動の基盤にしていこうとはしてきませんでした。同じ社会科学系の政治学や経済学に比べても、さらにドメスティックな文化に浸っています。こうした現状に問題があると多くが思っていますが、忙しい毎日、研究者にとって言語は根本ですから、なかなかその根本を大転換させる決断はつきません。

私自身は一九九〇年代後半の陳光興たちとの共同作業を通じ、とにかくもう自分たちの学問の片方の軸足を英語にシフトしていかないと駄目だと確信しました。それで、二〇〇〇年代初頭から、まず自分の周囲の大学院生たちを頻繁に国際学会に連れていくようになりました。日韓共同で大学院生を主体としたカルチュラル・スタディーズの国際学会を開催し、それが後のカルチュラル・タイフーン（日本各地で毎年開催される文化研究の学会で、海外からの参加や英語でのパネルが多いのが特徴）にも発展していっています。

学生たちを海外に連れていくと、面白いことに気づきます。自費では決して彼らは行きませんから、あれやこれやの理由を作って外部資金を獲得します。その外部資金を彼らの旅費に充当し、学会プログラムに彼らの発表を組み込んでしまうのです。それで、学生たちはもう逃れられなくなりますから、とにかく英語の発表を準備します。しかし、そこで安心してしまってはまだ駄目で、事前に発表のリハーサルをして、相互に批評しあう機会を設けます。そこまでですると、発表の日が近づくに従い、今度は学生たちが必死になってきます。現地の会場に行くまでの時間、それぞれが必死で発表の準備を始めるのです。

私はこのような取り組みが、海外の学会への派遣のみならず、日本国内の学会でも、さらには日常的な教育現場でも、爆発的に広がっていくべきだと思っています。なぜならば、自分が研究してきたことを、日本語のわからない聴衆の前で英語で発表することには、単なる実践的な英語力のトレーニングという以上の価値があるからです。

日本人の、とりわけ優秀層にしばしば見られる傾向ですが、難解な、とても英語にはならない概念を使って、自分で納得するのが目的ではないかと疑われるような複雑な議論を展開する人がいます。そのような議論はどれほど（本人には）精密でも、まったく国際的には通用しません。知的創造は根本的に対話的で、自分が満足するのではなく、相手に理解してもらうことで初めて可能です。自分が言いたいことの精密さを大切にする余り、相手にはとても理解できない論理を多用するのでは、知的創造は最初から頓挫しています。

ところがこの問題点は、なかなか治りません。日本語でいくら説明しても、多くの学生は理屈では理解するのですが、自分の発表となると、ついつい相手のことを忘れ、自分本位に完成度の高い議論をしたがります。まるで、その人が前提としている諸概念や議論の組み立てを理解できないのは、相手の理解力が足りないからだと言わんばかりです。むろん、多くの場合、本人は本当はそんな傲慢な考えで凝り固まっているわけではありません。ところが日本語で書いていくと、ついつい話が細かく、複雑になってしまうのです。

そうした場合、発表言語を日本語から英語にシフトすることは、若手研究者がそれぞれの研究の方向性を国際的な議論の地平で考えるようになるという意味でも、また一部の閉じた学術サークルの中でだけ通用する概念や論理ではなく、広く様々な文化的・言語的背景や理論的立場の他者からも応答可能なものにしていくという意味でも、有効な学びの回路なのです。口頭発表は本の出版ではないのであって、一回だけのコミュニケーションで完結はしません。ですからまずは、話のポイントは何か、その議論はどのような論理の組み立てになっているのかを、相手の視点から示していくことができなければならないのです。

とはいえ、私が自分の仕事を国際学会でどんどん発表していくようになるのは遅く、一九九〇年代末以降です。もちろんそれ以前、八〇年代半ばからいくつかの国際学会で報告をしていましたし、一九九三年から九四年にかけてはメキシコにある大学院大学で授業もしています。しかし、それまでは日本語ですでに出来上がった研究を英語化して発表するスタイルでした。まず日本語で研究をまとめていく作業があり、その次に英語化していく順番です。しかし、九〇年代末以降、英語ベースでの取り組みが激増していくと、この順番に変化が生じてきます。英語で作る発表資料やメモが増えていき、学会や会議や授業の現場では、とにかくその場その場で英語対応をしていかなくてはならないので、少なくとも相手の話を聞き取る能力は向上していきます。他にする人がいなかったので、二〇一〇年頃には、東大からのＭＯＯＣｓ（大規模公開オンライン講座）で、Visualizing Postwar Tokyoという英語科目の制作もしました。私ですらここまでやっているのだから、まだ柔軟で音感もいい若い人たちは、自身の研究のバイリンガル化を徹底的に進めるべきです。

第2章
知的バトルのススメ

1 知的創造は、問いの発見から始まる

知的創造が他者に対する説得術である以上、そこには一定の形式があります。少なくとも学問は、自由気ままに自分の思いを言葉にすればいいのではなく、一定の形式、すなわちフォーマットに従って考えを掘り下げ、他者が納得できる仕方で検証していく作業です。そして、そこで決定的に重要なことの一つは、問いのこだわりから出発すること、もう一つは、その問いへのありきたりな回答を超えようとする、理論的な枠組を構築することです。つまり、問いへのこだわりと理論的な枠組の構築が知的創造の大きな柱となります。

かつては、〈問い〉という代わりに〈問題意識〉という言葉を使っていました。大学でゼミや研究会に参加すると、「君の問題意識は何なの?」とまず尋ねられる時代があったのです。研究は〈問い〉への応答ですから、〈問い〉がなければ成立しません。問い、つまり問題意識は、知的創造が生まれてくる原点であり、これは決定的に重要なものです。〈問い〉が言語化されて明確になったものを、一般に〈研究課題〉と言います。この研究課題に答えるために必要な分析的な枠組の構築ができれば、知的創造はもう半分以上、終わったようなものです。なんだ、簡単じゃないかと思わないでください。昨今では大学院生でも、

そもそも問いらしい問いを持っている人が減っています。みなさん、問いとは何かを考えもせずに、私の研究は「〜を明らかにすることです」とか、「〜について興味があるので調べます」とか言います。そんなものは問いでも何でもなくて、単なる興味関心です。興味関心は、問いではありません。この違いを知るところから、研究が始まります。

ここでまず注意しておきたいのは、ここで言う「問い」と、若い研究者がしばしば口にする「リサーチクエスチョン」は別物だということです。昨今の学生には、研究の出発点となる大きな〈問い〉や〈研究課題〉を曖昧にしたまま、何となく思いついた「リサーチクエスチョン」を三つ、四つ挙げて、そこから研究を始める人が少なくありません。その場合、そこで掲げた「リサーチクエスチョン」の探究に行き詰まると、また別の「リサーチクエスチョン」が掲げられていきます。このやり方では、何度同じことを繰り返しても、一歩も前に進むことはできません。「リサーチクエスチョン」を何か掲げるとしても、それ以前にここで言う〈問い〉や〈研究課題〉が必ず必要なのです。それさえあれば、あるリサーチクエスチョンで行き詰まったとしても、その手前の研究課題に立ち戻ることができるので、研究の土台が揺らぐことはありません。土台の根本に、〈問い〉は位置づけられるのです。

もちろん、問いが生まれてくる回路は一つではありません。実社会での経験から問いを見つける人もいれば、報道で知った社会問題に関心を抱き、そこに深入りしていく人もいるでしょう。これらの場合、社会の中に問いがあるわけです。しかし別の人は、古典を読むなかで、自分が格闘すべき問いを発見するかもしれません。ここでは前者を問題起点の問い、後者を理論起点の問いと呼びたいと思います。それ以外にも、対象自体への深いこだわりが問いに発展していくことがあります。これを、対象起点の問いと呼ぶことにします。

私は、この三つのパターンが、問いが成り立つ主たる回路だと思っています。そして多くの人の場合、このいずれか一つに限定されることはなく、その人の問いの形成には複数の要素が混ざり合っています。しかし、ここで重要なのは、長い時間をかけて探求するに値する問いを、実体験や読書、そして友人との議論などから見つけることです。

他方、もう一つの柱である分析的な枠組を構築するには、先行研究の批判的な渉猟が欠かせません。つまり、勉強をしなければ駄目だということです。しかし、単に勉強をすればいいか、関連しそうな本や論文をたくさん読めばいいかというと、そうでもありません。読めば読むほど、その本の議論に引きずられて、もともとの自分の方向性からずれていくのがよくあるパターンです。よく、勉強好きな学生で、数カ月ごとに研究の基本的フレイムが変化し、それに応じて研究テーマもガラッと変わってしまう学生がいますが、三回以上のテーマ変更がうまくいったケースをあまり知りません。問いが理論的な枠組にまで練り上がっていくにはある熟度が必要で、一方では自分の問題意識にこだわり、他方では先達の諸研究と対話しながら、自分が建てるべき支柱を発見していかなければならないのです。

2　研究を成り立たせる八つの基本要素

このように、知的創造はゼロからまったく新しいものを生み出す行為でもなければ、当てずっぽうにやっていたら、何か素晴らしいものに出会うといった過程でもありません。知的創造には、一定の方法的な組み立てがあります。研究とは、自分の発想や知識を、何の形式もなく自由に表現することではないのです。それは「思った通りに書きましょう」ということではなくて、ある組み立てに従って問いにこだわり、考えを深めていくことです。

ウンベルト・エーコの『論文作法』（而立書房、一九九一年）には、この研究の組み立てについてのエーコの考えが明快に示されています。彼は、こんなことを言っています。「論文を作成することとは、独特のアイデアを整頓し、資料をきちんと整理する技術に習熟することを意味する。それは一種の方法論的作業」なのだ。だから、「論文のテーマは、これに要する作業経験ほどに重要ではない」と。もちろん、論文のテーマも重要ですが、さらに重要なのは、問いに基づいて理論と分析、結論までをまとめ上げていく組み立ての方法です。

この組み立て、知的創造のプロセスには、八つの要素があると私は考えています。最初にあるのは、先ほど述べたように、〈問い〉の発見です。その〈問い〉に基づいて、相手にすべき〈研究対象〉が選ばれます。そこから〈先行研究〉の批判的検討へと進み、〈分析枠組〉の構築に向かうのです。これら四つの要素が、前半の一つのサイクルを形作っています。サイクルというのは循環的ということですから、当然、〈先行研究〉の検討を通じて、〈問い〉を再考することもあり得ますし、時には〈対象〉を選び直すこともあり得ます。とにかく、いい論文を書こうと思ったら、〈問い〉〈研究対象〉〈先行研究〉〈分析枠組〉の四つの要素の間をぐるぐる回りながら基礎を固めていくべきです。知的創造がある種の建物だとすると、これは文字通りその建物の基礎の杭を打ち込んでいく作業で、時間がかかります。しかし、ここがしっかり出来ているかが、その上の建物の強度や高さを決めてしまうのです。

さて、そうして出来上がった〈分析枠組〉と〈対象〉の関係から、その研究が立証しようとする〈仮説〉が生まれます。〈分析枠組〉は、〈仮説〉よりも理論的、抽象的なもので、一般的な通用可能性があるものです。すでに第1章で述べたことからすれば、私の最初の本である『都市のドラマトゥルギー』では、上演論的パースペクティヴが〈分析枠組〉で、日本の都市化が二つの次元から構成されているというのが〈仮説〉です。上演論的パースペクティヴは、都市化の分析だけでなく、その後に私が進める研究の多くに通底していますが、都市化の二つの次元という仮説は、日本近代の都市の「盛り場」という〈研究対象〉の分析についてのみ有効で、この対象と一体的な関係をなしています。ですから、〈分析枠組〉から〈仮説〉を導き出すには、〈対象〉についての深い探究が不可欠なのです。

この仮説がはっきり見えてくれれば、あなたの研究はもう最初の山を越えています。ここから先は力勝負、机の前でじっと本を読み続けたり、友人や先生と議論を重ねたりではなく、資料やデータを手で集め、足を使って現地を訪れ、耳を使ってインタビューを重ねる作業が中心になります。印象ですが、最近はこちらのほうは得意な学生が多いようです。つまり、体を使ってあちこちの資料を集めたり、インタビューをしたり、とにかく研究対象についての情報量を膨らましていくことは苦ではない。しかし、そもそもの研究の基礎の杭がきちんと打ち込まれていないものだから、地上の建物は立派そうに建っていても、ちょっとこちらが揺さぶりをかけると簡単に崩壊してしまうというパターンです。

ですので、研究の根本は最初の四つの要素からなる地下の基礎作業なのですが、外から見えるのは後半の四つの要素からなる地上の建物なので、こちらもしっかり建てていかなくてはなりません。そして、これもまた循環的なプロセスで、〈仮説〉ができたら、それが現実に当てはまるかどうかの〈実証〉を行い、その末に〈結論〉が得られる。そして、こうして導き出された〈結論〉が、いかなる学問的ないしは実践的な〈意義〉を持つのかが明らかにされなければなりません。実際には、これらはどれが前で、どれが後というのではなく、

〈実証〉の具体的な作業を進めるなかで、その前提だった〈仮説〉が問い直され、別の〈仮説〉に代えられることがあります。また、〈結論〉の〈意義〉を考えていくと、だんだん自分の研究に自信がなくなってきて、〈仮説〉からもう一度、組み立て直されるということもあるでしょう。いずれにせよ、この後半の四つの要素からなる循環的プロセスは、分野や対象によって重要なポイントがそれぞれ違ってくるので、一般論で語るのは困難です。基礎は同じでも、上に建てる建物には様々な様式や間取りがあるのと同じです。

3　二つの四角形と二つの三角形

さて、以上で述べた〈問い〉〈研究対象〉〈先行研究〉〈分析枠組〉〈仮説〉〈実証〉〈結論〉〈意義〉という八つの要素からなるサイクルのうち、ここでは前半を「往路の四角形」、後半を「復路の四角形」と呼んでおくことにしましょう（図1）。図にあるように、この立方体（キューブ）で示されるサイクルには、往路の四角形と復路の四角形を跨ぐ仕方で二つの三角形が含まれています。一方で、図の左方では、〈問い〉と〈結論〉と〈意義〉がトライアッドに結びついた三角形をなしていますね。これを、「チャレンジの三角形」と呼ぶことにしたいと思います。この中で特に重要なのは、二重線で結ばれている〈問い〉と〈結論〉を結ぶ線分です。

図1

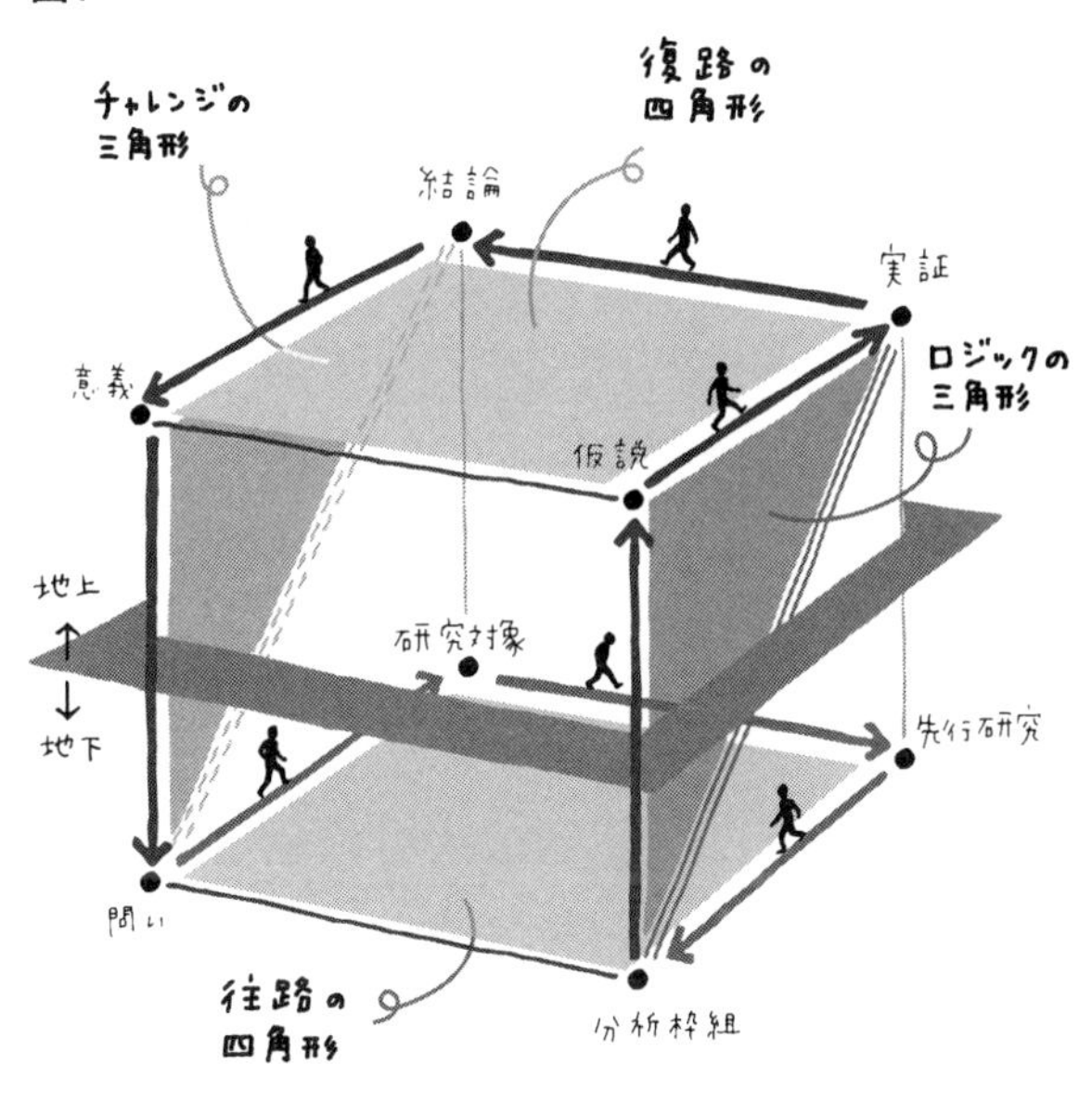

なぜなら、〈問い〉を立てるには、目指すべきゴール、つまり〈結論〉についてのイメージが、漠然とではあれやはり必要だからです。ある問題を自分は探究していきたいと思うとき、実はどういった着地点に向けて問いを立てているのかが、自覚的な本人にはすでにおぼろげにではあれわかっているはずなのです。

この線分がしっかり考えられていないと何が起こるか？　一方で、ある問いに基づいて研究課題を考え出してみたものの、どうやっても答えにたどり着きそうにない、仮説があまりに大掛かりなものになりそうだったり、とても実証できそうもなかったりということが予想できる場合があります。そうした場合、いくら分析枠組や仮説を工夫してみても、最終的にどう落着するのかわからなくて、途中で見通しが立たなくなってしまいます。そのように結論がまるで見通せない場合、早めに問いを修正しておいたほうがいいでしょう。

あるいは、それとは逆に、わざわざ研究をしなくても、すでに結論が見えてしまうような研究課題もあります。要するに、問いがそもそもチャレンジングではないのです。せっかくまだ初期段階なのだから、思いっきり挑戦的な課題に取り組んでほしいのだけれども、確実に成果を上げようとする気持ちが強いのか、あるいはそもそも知的に挑戦的になるということがどういうことかわかっていないのか、ありきたりの問い、ありきたりの仮説から、ありきたりの結論を導こうとする人がいます。こういう人は、残念ながら研究にも知的創造にも向いていません。率直に言えば、まずとにかく社会に出て、実践的な経験を積み、様々な失敗を経験して、人生経験を豊かにしてほしいと思います。そのうえで、様々な本を読み、いろいろな人と語り合い、自分の経験やヴィジョンをもっと理論的に考えたいと思うようになったら、改めて大学や研究機関で問いを立て直すのでも遅くはありません。

さて、図の右方にあるもう一つの三角形ですが、こちらは〈分析枠組〉と〈仮説〉と〈実証〉を結ぶ三角形です。これを、ここでは「ロジックの三角形」と呼んでおくことにします。

論理的な整合性がとても大切だからです。とりわけ重要なのは、〈実証〉と〈分析枠組〉を結ぶ二重線です。これが意味するのは、研究の枠組は、一度構築したらずっと変えられないわけではないことです。いったん構築した分析枠組から仮説を導き出し、それを実証するためにデータを集め、フィールドワークをした結果、どうも具合が悪いな、この枠組や仮説ではうまくいきそうにないと考えて、枠組も仮説も抜本的に組み立て直すといったことは頻繁に生じます。この循環を経ないと、枠組も仮説も強いものにはならないのです。ですから、いろいろデータを集め、資料を読み込み、インタビューを重ねていくなかで、枠組や仮説を何度も変化させていくフィードバックの回路が、この二重線が示すところです。

さらに、もしも結論まで来た段階で、問いや枠組がまだ不十分だと思ったら、その問いや仮説を組み立て直すこともあり得ます。研究は、次の段階に進んだからといって、前の段階を変えられないわけではありません。むしろ問いから結論までのプロセスは、幾重にも循環的なのであって、何度も要素間の関係を吟味し直していけばいいのです。

そして、二つの四角形のどちらがより重要かというと、往路の四角形です。この往路において、問いと研究の枠組がしっかり出来ていれば、そこから先はそれぞれの分野の一定の手順に従って研究を進めることができるからです。もちろん、どのような手法を用いるかは分野によって異なります。統計的な調査に基づく研究もあれば、フィールドワーク的な事例分析、歴史的な資料に基づく研究、あるいは実験的な作業に基づく研究などがあります。そのどれに該当するかで、実証の仕方も結論の導き方も大きく異なるわけです。しかし、往路の四角形についていうと、問いを発見し、その問いを探究するために先行研究を批判的に検討し、研究の基本的な枠組を構築していくあたりまでは、どの分野でもそれほど差がありません。そしてこの往路の四角形は、あらゆる研究の基礎として決定的に重要です。ですから本章では、この往路の四角形を中心に話を進めることにしたいと思います。

4 方法としての「アタック・ミー!」

論文や研究レポートというものは、必ずしも第1章、第2章、第3章というふうに順に書いていく必要はありません。読む側の多くは、序章から順に読み進めていくと思いますが、書いていく側は、結論を最初に書いてみるとか、第3章、第4章と書き進めてから、第1章に取りかかるとか、そうしたことが珍しくありません。重要なのは、目次上の順番ではなくて、研究全体の構造化です。この構造化ができていれば、書き進めるのはどのような順番でもいいのです。一般的に言えば、問いから分析枠組、仮説までを書いていくことと、結論を書くことが非常に重要です。この理論的なパートが、分量的には論文や研究レポートの大部分を占めることになるはずの実証のパートとバランスをもって書き進められる必要があるのです。前者がしっかりしていないと、研究は焦点の定まらない拡散的なものになってしまいますし、後者を着実に進めていないと、研究が机上の空論になってしまいます。

私はこのことを理解してもらうために、長年、大学院に入ってきた学生たちに、まず研究計画を一枚の用紙に書いてもらってきました。そこには、「あなたの問いは何ですか」「研究対象は何ですか」「先行研究としてどんなものがありますか」「研究の枠組ではどんなイメージがありますか」「予想される結論は何ですか」といった質問項目があって、学生たちはそれを埋めていく。ところが、私がなぜ、これらの質問項目を答えさせるのか、その意図が伝わることはかなり稀です。学生たちのその後の研究の進み具合を見ていると、いくら口を酸っぱくして言っても、自己流でやっている人が少なくありません。残念なことです。

それでは悲しいので、知的創造がどのような基本構造で成り立っているかを理解してもらうために、体験型授業をしようと、四〇歳前後で考えました。それが、「吉見俊哉を叩きのめせ！」という名前の授業です。英語でなら「**Attack Me!**（アタック・ミー！）」という科目名になります。これを十数年間、東大で実施しました。なぜそんな授業をしたのかというと、まさしくこの章で話すことを体験的にわかってもらうのが目的でした。

この授業のガイダンスとして、一九九〇年代後半に用意したシラバスの一部が残っていましたので、そこに書いた授業概要を少し紹介します。

吉見俊哉を叩きのめせ。これがこの演習で要求される課題である。参加する諸君は、担当教師の書いてきた小論文や、現代メディア研究や文化研究の代表的な論文に、徹底的な理論的攻撃を加えなければならない。手順は簡単。授業開始時に、吉見が、学期を通じて取り上げる論文のリストと関連資料を用意する。各回、その論文の担当者は、少なくとも三発の爆弾を用意し、教師に攻撃を仕掛けなければならない。他の参加者も、少なくとも一発は爆弾を用意しよう。参加者からの総攻撃に教師は必死に防戦するが、時には撃沈されるかもしれない。しかし、鋭い攻撃には必ず課題論文の精密な読みと冷徹な批判力が不可欠であることをお忘れなく。各回を通じて提起された研究方法論上の問題点について、授業終了後に論点整理がなされ、学期末に全員で総括討論する。

この演習の目的は、参加者全員に、メディア文化研究の論文はどう書けばいいのか、どんな方法論上の壁を越えなければならないのか、またそれがいかに困難なのかを自覚してもらうことである。したがって、ここで要求されているのは、決して論文についての質問ではない。あくまで一人一人が教師の論文を攻撃し、場合によってはオルタナティブな可能性を示していくのである。参加者には、毎回の授業で教師を攻撃し続けることで、様々な著名な先行研究の弱点を突き、独自の議論を説得的に展開する訓練を積んでほしい。また、そのような批判的なまなざしを、自分自身の論文にも向けるようになってほしい。そのような理論的な訓練の踏み台に、吉見やその他の先達の論文を使ってほしい。

この授業で、いくつか禁止していたことがあります。一つは、取り上げる論文について質問をすること。それから、その論文の要約をすることや、ここはよかったとか、この点が参考になったとか、刺戟に富んでいたとかいったように褒めることです。これらは、授業の中ではやってはいけないこととされました。逆に、私が書いた本や論文について、アラ探しでも何でもいいから、とにかく批判し、攻撃し続けることが学生たちに要求されました。

なぜこうした授業を始めたのかというと、もうお分かりかと思いますが、知的創造の八つのプロセスの中で最も難しいのが、先行研究からその人独自の分析枠組を組み立てていくことだからです。先行研究をまとめるだけなら、ある程度の知識があれば、それほど難しくはありません。先行研究を手際よくまとめられる人はいくらでもいます。しかし、先行研究を乗り越える形で自分の分析枠組を構築できる人は、それほど多くはいません。

それどころか、若い学生はよく、自分がやっているのは新しいテーマなので、先行研究がほとんどないと言ってきたりします。嘘です。先行研究がないということは、絶対にあり得ません。たとえば、あるマンガ作家の作品分析をしようとして、その作家の作品について書かれた論文が一つもないということはあるかもしれません。しかし、その作家が死をテーマとする作品を多く描いてきたのなら、死をテーマとする文学やマンガについての研究は無数にあるわけです。もちろん、それら全体が先行研究になってきます。

それだけではありません。その研究で採用しようとしている方法論についての先行研究もあるはずです。マンガ作品がテーマなら、言葉とイメージの組み合わせをどう分析するかという研究は山のように存在します。このように先行研究には、対象についてのものだけでなく、研究課題や方法論に関するものも含まれるわけで、それは必ず多数存在するのです。

先行研究のレビューについては、もっと広く蔓延している問題もあります。修士論文くらいになると、多くの人が時間をかけて先行研究を読み、研究の流れを整理するところまではするのですが、この作業が整理のための整理で終わってしまい、そこで論じたこととは切り離されたところで分析枠組を作り、仮説を立て、実証へと進んでしまうのです。これでは、せっかく努力して先行研究のレビューをした意味がなくなってしまいます。そもそも先行研究を批判的に乗り越える枠組の構築こそがレビューの目的ですから、それぞれの先行研究のどこが駄目で、その駄目なところを乗り越えるには何をしなければいけないかを、相手の研究に内在して導き出すべきなのです。ところが、それをできる人が意外に少ない。

それなら、私の論文を叩くという訓練をさせることで、他の人の先行研究も同じように叩いて自身の枠組や仮説を構築できるようにならないだろうかと思い、この授業を始めたわけです。他人が書いた論文を褒めたり、要約したりするのは簡単です。少し頭のいい学生なら、論文にざっと目を通せば、この部分がとても刺戟的だったとか、こういう価値があるとか言えるはずです。要約するには、重要な箇所を抜き書きして、それをまとめればいいということになる。必ずしも精読していなくても、基本的な要約はできてしまう。

しかし、目の前にいる教師が書いたものについて、ここが駄目だと正面から言うのは簡単ではありません。稀には、ロクに読まずに先生の論文は駄目だと言い放つ失礼な学生もいますが、これはちょっと珍しい。常識的な学生ならば、教師が書いた論文のここが駄目だと批判するには、まずはその論文を真剣に読まなくてはいけないと思うはずです。

他方、書いた側は、大概は自分の論文のどこが駄目で、どこでごまかしているのかを認識しています。たとえば、中心的な論点とは異なるところで、まだ詰め切れない部分が残っていても、そこは少し曖昧な書き方をしてぼやかしておくことは少なくない。全体として正しいと信じることを書いているのですが、著者はしばしばどこかを曖昧にし、突かれると弱いところを隠しているのです（最近は、自分の弱点に無自覚な著者も増えています）。すると、教師側は、学生からの批判がどこをどう突くかで、その学生がどこまで深い読みが出来ているのかがすぐにわかります。読みが浅い学生は些末な批判をしてきますし、逆に、深く読み込んできた学生から鋭い批判を受けると、たしかにその通りと喜んでしまいます。

5　批判的読書はどうすればいいのか？

さて、この授業は、些細なミスや矛盾でもいいから、何か見つけたら批判しなさいと言うところから始まります。ですから、学生たちは何か私の論文の欠点を見つけてきます。しかし同時に、この本でお話ししているような、研究とはどのようなものか、議論の進め方で何が大切かも説明します。たとえば、論文を批判するときに、なんとなく出来がよくないと言ったり、こういう議論は好きではないと言ったりすることは、まったく批判にはなっていません。最低限、その論文のどのような論点を批判するのか、具体的には記述の中のどの箇所がそれに該当するのか明示する必要があります。――これが出発点です。

その上で、批判の主たる基準に次の三つがあることを示します。一つは、実証が妥当かどうかということです。たとえば、結論を根拠づけるデータに間違いがあるとか、そのデータによっては、そもそも議論を正当化することができないといった場合です。この次元で批判をするなら、取り上げた論文が主張する結論が導けない他のデータを用意して、それに基づいて、論文の主張は実証的に反証されることを示していくのがいいでしょう。

この一つ目のパターンのヴァリエーションですが、その論文が依拠しているもともとの論文や著作の解釈が適切ではないというケースもよくあります。特に文系の論文は、しばしばそれまで書かれてきた評価の確立している著作に言及し、その議論を論拠としながら論を進めます。しかし、その論拠としている著作の解釈が適切ではなく、いわば我田引水的に利用している場合も少なくありません。ですから、誰かの論文を批判しようとするときには、その論文が論拠としている論文の原典にまで遡って読み込んで、批判する相手の論文の解釈の弱点を突くのが有効です。実際、私のこの授業でも、学生の中には、私の引用について、その典拠として示されている訳書からさらに原語の原典に遡り、私の解釈の問題点を指摘してくれた学生がいました。私は、「この学生はできる！」と脱帽でした。

二つ目は、論文における議論が、最初から最後まで論理的に一貫し、整合的かという点です。たとえば、前半の何ページではこういう主張をしていたのに、後半の何ページではそれと異なる主張をしていて、両者のあいだに矛盾があるといった場合です。世の中には、この手の論文も少なくありません。しかし、論文の筋をなしている論理展開を追えないと、そのような論理上の矛盾を見つけることはできません。こうした能力は、本当は中学高校のレベルで鍛えられるべきもので、要は論理的な文章の読解ができるかどうかという話です。経験的に言えば、東大大学院での授業の場合、彼らはこの種の能力には秀でています。いわゆる受験偏差値の高い学生たちに見られる問題は、概して別のところにあるのです。

三つ目は、そもそも論文の仮説や結論にどれだけの意義があるかという点です。実証で用いられるデータと仮説との関係が矛盾しておらず、引用も的確で、全体を通して論理的にも一貫していたとしても、そこで示された結論に何ら独創性も創造性も見出せないようなケースがあるかもしれません。昔から幾度も言われてきたことを細かく穴埋めして実証した論文の評価は分かれるでしょう。そんな論文に対し、その研究が置かれる社会的文脈の側から意義を問う批判が可能です。このように、先行研究はまず、実証的なデータや引用の妥当性（テクストの研究対象面での外部）、論理的な整合性（テクストの内部）、学問的意義（テクストの学問文脈的な外部）という三つの観点から批判的に検討することができます。

しかし、これだけではありません。どのような分野であれ、その研究には実は何らかの背後仮説が存在します。背後仮説とは、その研究が暗黙の前提としている研究の枠組です。ある研究が、実証的な妥当性や論理的な整合性の点で問題ないとしても、またそこでの議論に一定の新しさがあるとしても、その研究が根本的に前提としている視座、つまりそれが依って立っているパラダイムが、歴史の長い射程の中で問い返されなければならない場合があります。たとえば、一九七〇年代あたりから、西洋近代社会の普遍性の前提をなしてきた男性中心主義や帝国主義に対する厳しい批判が、フェミニズムやポストコロニアリズムの側から提起されていきました。近代諸科学の概念の普遍性それ自体に、植民地主義や男性中心主義的な権力関係が含まれていて、これを女性や植民地の側から問い直していくと、社会科学の理論の多くの前提が問題にならざるを得ないということになったのです。

この場合、西洋近代の中で育まれた従来の社会科学が、妥当性、整合性、有用性という水準で間違いを犯していたわけではありません。しかし、それらの理論における背後仮説に男性中心主義や帝国主義が内挿されていた。つまりここでの批判は、議論の表に出ている矛盾や誤りではなく、その背後仮説やパラダイムに向けられていたのです。

6 知のコペルニクス的転換を生む基礎

さて、以上のように異なる次元やレベルから先行研究を批判的に検討することで、あなたはあなた自身の新しい分析枠組や仮説を構想することができます。たとえば、ある先行研究における実証データと仮説が合わない場合、より妥当性の高いデータを用いて別の枠組を構築し、そこから新たな仮説を導き出すべきでしょう。論理的な一貫性に欠ける先行研究であれば、その議論がどこでなぜ矛盾しているのかを示し、その矛盾を解決する新しい仮説を立てていけばいいのです。仮説や結論の意義がはっきりしない研究ならば、なぜその研究が「つまらない」のか、つまりその研究がチャレンジを避けているのは何に対してかを考え、そのようなチャレンジをしていけばいいと思います。最後に、背後仮説を批判したい場合には、後続する研究者であるあなたが、先行者とは異なるどのようなポジションに身を置いて問題を考えようとしているのか、自覚的に言語化していく必要があるでしょう。

こうして先行するパラダイムが乗り越えられていった歴史上最も有名な例は、コペルニクスによる地動説の提唱でしょう。コペルニクスは、活版で印刷された天文学上のデータを大量に集めることが可能になった最初の世代でした。当時、活版印刷が広まったことで、それまでなら手に入れるのが困難だった各地の印刷されたデータを集め、比較することができるようになったのです。今でいうならビッグデータが身の周りでアクセス可能になり、計算に使える比較可能なデータの総量が爆発的に増えたのと同じです。それを用いて天動説を検証してみると、データと理論がどうしても矛盾してくる。そこで、データの妥当性という観点から理論を組み立て直していったところ、地動説に行き着いたというわけです。

ところが一六世紀の当時は、キリスト教神学がヨーロッパの人々の世界観を支配していました。当時の教義からすれば、コペルニクスの地動説は許容し難いものでした。地動説よりも天動説のほうが、当時の支配的な価値体系にフィットしていたのです。ですからその自明視されていた価値体系に照らすと、コペルニクスが組み立てた新理論は反社会的で挑戦的だった。この挑戦性から、後にこれに類するパラダイム転換のことを、「コペルニクス的転換」と呼ぶようになるのです。つまり、同じ研究対象を扱っていても、異なるデータへの依拠が、異なる背後仮説、さらには異なるパラダイムに研究を導いていくこともあるのです。「コペルニクス的転換」は、自然科学だけでなく、人文社会科学でも、あらゆる分野の研究者が一生に一度は狙ってみたい研究上の野心と言えるかもしれません。

しかし、このコペルニクス的転換は、先行研究に対する単なる外在的な批判からは生まれません。それまでの言説や理論に深く内在し、そこで論拠とされてきたことを踏まえた内在的な批判の手順こそが、それらを乗り越えるためには不可欠なのです。そのことを学生に理解してもらいたくて、「アタック・ミー!」の授業を行っていたわけです。

容易に察せられるように、同じような研究指針は、すでに序章で触れた社会学者の類書でも、この授業そのものとは違う手法かもしれませんが、繰り返し提案されてきたことでした。たとえば苅谷剛彦さんは、『知的複眼思考法』(講談社、一九九六年)で、知的複眼思考法の出発点として、批判的な読書を勧めています。その際のポイントを、**Anita Harnadek**という人が書いた*Critical Reading Improvement*を参考にして、二〇項目にわたって挙げていたのです。参考になるので、その中の重要な一〇項目を引用しておきましょう。

（1）意味が分かりにくいところに疑問を感じる
（2）何かが抜けていると思ったら、その個所を繰り返し読む
（3）著者がなぜそんなことを書こうと思ったのか、目的を果たせたのかを考える
（4）論争が含まれている部分に注目し、反対意見が十分に否定されているか検討する
（5）十分な根拠が示されずに意見が表明されていないか見極める
（6）その主張が可能性に基づいているのか、必然性に基づいているのかを区別する
（7）矛盾した情報や矛盾した主張がなされていないかを調べる
（8）客観的な記述と主観的な記述を区別する
（9）使われているデータを簡単に信じないように注意する
（10）書かれている事柄のうちに、暗黙に入り込んでいる前提が何かを考える

前述の私の説明でいえば、このうち（5）は論拠の妥当性の問題、（7）は論理的な整合性の問題です。（4）や（6）も、論理的な整合性の問題に近いですね。それから（9）は実証データの妥当性の問題、（10）は、もちろん背後仮説に関する問題です。このリストは、

全体としてそこで読まれる本と対話し、同時にその本が何と対話しているのかを考えることを促していますから、本書で私がお話ししてきたこととの重なりは大きい。

7 ノリが悪くなって〈問い〉が生まれる

さて、ここからは、そもそも〈問い〉はどのように形成されるのかについて、より踏み込んで考えていくことにしましょう。この問いが形成されるプロセス、つまり私たちはどのようにして物事を反省的に考えるようになるかについては、千葉雅也さんの『勉強の哲学』が的確な整理をしていますので、まずは彼の議論を参考にしながら話を進めます。

問いの形成には、日々自分が身を置いている自明な世界から離脱し、それを言語的に対象化していく瞬間が必要です。これは千葉さんの言葉で言えば、ノリが悪くなる瞬間です。ノリが悪いというのは、環境のコード、つまり自分が所属する集団のコミュニケーション・コードから自分を離脱させることです。逆に、ノリがいいというのは、こうした環境のコードに違和感を持たず、すっかりそれが身体化されて、そのコードに合わせて上手に自分を演じることができている状態です。ところが、この慣れ親しんだ環境のコードに疑問を持ち始めると、ふと考え込んだりして、ノリが悪くなる。そのようにノリが悪くなることが、勉強の出発点であると千葉さんは言っています。これはとてもいい表現だと思います。

したがって勉強とは、ノリがよかったそれまでの自分を壊していく作業です。そして、環境のコードに癒着していない自分の足場を、「考える」という一連の言語操作によって創造します。自分が自明と思ってきた既存の環境のコードから自分を離脱させるには、ボケないしはツッコミという違和を差し挟んでいけばいいというのが千葉さんの主張です。

千葉さんによれば、ツッコミとはアイロニーのことで、みんなが当たり前だと思っているコードに対し、正面からそれって違うんじゃないのとツッコミを入れていく。みんなは常識だと思って流しているけれども、実は変なんじゃないと言えば、当然、その場はシラけるでしょう。それでも怯(ひる)まず、さらにツッコミを入れて常識を揺るがしていく。その周囲との軋轢を、逆に上手に自分の立場の構築につないでいくのです。しかし、これはちょっとバランスを失うと、独りよがりな自己主張にもなりますね。他方、ボケとはユーモアのことです。みんなが自明としているコードに対し、そのコードからズレた発言や、ズレた振る舞いをしていく。それによって、みんなが常識だと思っているものが相対化され、コードが少し開かれるのです。こうしたボケとツッコミにより、自明視している言語的な環境からの距離が生じます。それが勉強の出発点なのだと千葉さんは言うわけですね。たしかにこれらは、「問い」が形成される原点ですね。学問的な問いは、大半の人が抱いている常識への違和感や疑問から出発します。それがなければ、そもそも研究は成り立ちようがない。

しかし、そのような自明性からの離脱は、具体的にはいかに生じるのでしょうか？　私の考えでは、「問い」が形成される実践には、マイナスからの出発と、ゼロからの出発の二つがあるように思います。前者の場合、たとえば何かを為そうとしてうまくいかず、こんなはずではなかった、どうしてこんなことになってしまったのだろうと失敗や挫折の原因を考え直そうとしたとき、環境世界と自分の間に乖離が生じます。また、早くから困難な感情を抱え、周囲の人たちには当たり前でも自分にはとてもそうは思えないという距離を感じていることもあります。失敗や疎外感は、学問的思考が生まれる原基です。さらに、マイナスからの出発には、義憤もあるでしょう。社会の不平等や不正義に怒りを抱いたところから出発するような場合です。ある出来事に怒るのは、その出来事との間に距離があるからで、それが〈問い〉が生まれるきっかけになるかもしれません。しかし、それはあくまできっかけにすぎず、怒りが問いに結びつかず、一方的に他者への攻撃となることもあります。

このように、自身の体験を起点とする研究は、広い意味で当事者研究とされます。その場合、研究者自身が失敗とか挫折、あるいは不能感覚や義憤感情を持っていて、それらの経験や感情を対象化し、「問い」として客観化していくわけです。しかしその場合、当事者としての挫折や失敗、義憤だけでは〈問い〉にはならない点に注意が必要です。それらが問いになっていくには、自身の当事者性がどのような構造の中にあるのかという、メタ意識を持つ必要があります。こうした視点から自らの体験を客観化できなければ、いくらそれが切実であっても、学問的な、あるいは知的創造に向けての言葉にはなりません。

他方、そうした当事者でなくても、「問い」の形成は可能です。社会学者であれば、たとえば沖縄の反基地運動などの現場に入っていって、当事者たちの声に触れ、戦後日米関係についての「問い」を形成していく。人類学者であれば、アフリカや東南アジアで暮らしてみることで、自文化との違いを実感し、新たな研究の「問い」が生まれてくることもあるでしょう。歴史学者でも、たとえば江戸時代のことを深く研究していると、いま私たちが前提にしているのとは異質な世界観を当時の人々が抱いていたことがわかってきて、その知見に立脚して、現代社会を捉え直すことが可能になったりもするわけです。当事者性は、知的創造を可能にする一つの契機ですが、唯一の契機ではありません。想像力と知的探究力を備えた人ならば、実体験などなくても当事者以上に深い洞察に達することは可能です。

もう一つ、言っておきたいのは、おそらくプラスからの出発はないということです。研究対象との間に批判的距離がなく、その対象を正当化するばかりか、さらなるプロモートを目的とする研究がよくありますが、そのような研究が創造的になることはありません。なぜなら知的創造という行為には、既存のものを何らかの形で相対化し、否定し、乗り越えていく契機が必ず含まれているからです。そうした要素が皆無で、既存の価値体系に乗っかってなされた研究は、いくら精緻な内容であろうと創造的とは言えないのです。

8 〈問い〉はいかに〈研究課題〉に定式化されるか

ここまで、〈問い〉がいかに形成されるのかを論じてきましたが、その問いが知的創造に結びつくには、これを〈研究課題〉に定式化させていかなくてはなりません。なぜならば、〈問い〉は、ある人が人生上の問題に直面したり、ある出来事に特別な感情を抱いたり、何らかの具体的なフィールドに深く分け入るなかで形成されてくるものですから、非常に具体的で多様ですし、しばしばそれ固有の次元を含んでいて、そのままの形では共有できる範囲に限界があります。もし、これをより普遍的な、学問的と言ってもいい問いにしていこうとするなら、何らかの一般化、つまりは〈研究課題〉への抽象化が不可欠なのです。いわば、それぞれの〈問い〉が固有名詞ならば、〈研究課題〉は一般名詞なのです。

失敗体験や挫折感、周囲への違和感が〈問い〉になっていくプロセスと、その〈問い〉がさらに〈研究課題〉になっていくプロセスには、相似的なところがあります。どちらの場合も、より直接的、具体的な意識が、より客観化され、抽象化された意識に置換されていくのです。つまりそれらは、今、あなたが直接的に感じていることを、その外のメタレベルから相対化していく契機を含みます。この相対化を通じ、〈問い〉は、社会学であれ、人類学であれ、政治学であれ、何らかの学問的な理解の文脈に位置づけられていきます。たとえば社会学であれば、近代化とか国民国家、植民地主義、主体といった大きなテーマのなかに〈問い〉は位置づけ直され、すでに確立しているこれらの概念によって解釈され直します。先ほどの千葉さんの『勉強の哲学』での言葉を借りるなら、「自分の状況は、大きな構造的問題の中にあり、自分一人の問題ではない、というメタな認識をもつこと」が必要です。こうした作業を通じ、〈問い〉は〈研究課題〉へといわば昇華＝概念化されていきます。

二つのプロセスの相似性は、先ほどの〈問い〉の設定の三つのパターンが、ここでも当てはまるという意味でも指摘できます。つまり、〈問い〉を〈研究課題〉に発展させ、他方で〈研究対象〉を絞り込んでいく際にも、すでにお話ししたような「問題起点型」と「対象起点型」、それに「理論起点型」の三つのパターンがやはりあるのです。

問題起点型は、あくまでその人の〈問い〉から出発し、それを研究課題に翻訳し、その課題にふさわしい研究対象を見つける展開です。先ほど述べた当事者研究はその典型です。あるいは前章で述べた私の例で言えば、演劇の現場で考えた〈問い〉から出発し、それを社会学の学問的地平の中で〈研究課題〉にしていくために都市社会学をフィールドとして選び、演劇の現場と同型の問題が都市の盛り場にあると考えて、盛り場を〈研究対象〉に据えていったわけです。なぜ、演劇そのものを研究対象にしなかったのか、つまり、たとえば佐藤郁哉さんが後にやられるような演劇の社会学（佐藤『現代演劇のフィールドワーク』東京大学出版会、一九九九年）をしなかったのかといえば、そうすると研究対象と自分との間に対象化するのに必要な距離が保てなくなると思っていたからです。私の場合、演劇論的なパースペクティヴは普遍性を持っていると考えているので、方法も演劇、対象も演劇では、逆にその方法の可能性がわかりにくくなってしまうという思いもありました。

このような問題起点型に対し、対象起点型は、研究対象がまずあって、そこから〈問い〉が生まれ、さらに〈研究課題〉も設定されてくるというパターンです。映画なりマンガなり社会運動なりにかなり深くコミットしていて、誰にも負けない知識を持っている人が、その現場感覚を研究へと発展させていくような場合がそうです。しかし、あるジャンルについての知識量がいくら膨大でも、それだけでは決して研究にはなりません。すでにお話ししたように、そこに、どういう〈問い〉があるのかを見つけるために、一度はそのフィールドとの親和的な関係を壊す、そこから距離を取る必要があります。そのために、その当該の分野だけではなく先行研究をきちんと読まなくてはなりませんし、理論的な視座を獲得していかなくてはなりません。そうやって、すでに知っている領域について一生懸命〈問い〉を立てて、学問的な〈研究課題〉を構築していくのが、この対象起点型です。

そして第三のパターンが、理論起点型です。たとえば、ミシェル・フーコーとかピエール・ブルデュー、ニコラス・ルーマン、ベネディクト・アンダーソン、エドワード・サイードといった超大物の先行研究を読み込んでいく。その中で、興味深いと思える研究課題が見えてきて、その課題をこういう方向で解決したいので、研究対象としてこれを選ぶといった具合にこの種の研究は進んでいくわけです。挑戦する相手が大きいですから、〈研究課題〉を設定するのは難しくはありません。しかし、ここでの問題は、実は〈問い〉がなくても、それなりの〈研究課題〉を設定できてしまうことです。そのように〈問い〉を突き詰めないで〈研究課題〉から出発した場合、前に述べた「リサーチクエスチョン」から始める研究と同じことが生じがちです。つまり、短い論文ならそれでも書けますが、研究全体が面白くなっていかないのです。それで、だんだん挑戦している相手にのみ込まれてしまい、その人の思想や理論の解説が専門となっていきます。もちろん、そういう研究も必要で、日本には確実にマーケットがあるのですが、それが「創造的」かどうかには疑問が残ります。

実をいうと、〈問い〉が〈研究課題〉や〈分析枠組〉に組み上がっていく際に有効なのは、これら三つのパターンと研究者のもともとの傾向性との間でクロスオーバー、交差を生じさせることです。たとえばウンベルト・エーコは『論文作法』(而立書房、一九九一年)の中で、次のように書いています。

今日まで政治的・社会的活動しかやらなかったような学生に対しては、本人の直接体験を物語るよりも、こういう論文のうちの一つをこそ勧めたい。なぜかといえば、論文を書くという仕事が、歴史的、理論的、技術的知識を獲得したり、資料整理の方式を習得したり（略）するための、持ちうる最後の好機となるであろうことは明白だからである。（四二―四三頁）

この引用でエーコが「こういう論文」と言っているのは、「ガリレオ以前の科学におけるインペトゥス理論（中世末期のスコラの運動理論）」や「中世アラブ医学」、「競売の所有権侵害に関する刑法法典の条文」などについての文字通り古色蒼然たる論文です。そして、エーコがここで「政治的・社会的活動しかやらなかったような学生」というのは、典型的に問題起点型の学生ですね。その学生たちには、むしろ古典的な論文を読ませていくべきだと、エーコは主張しているのです。なぜならば、そういう実践的な〈問い〉を抱えている学生は、論文を書くことが、徹底して方法的な作業なのだということを理解する必要があるからです。同じことは、対象とするフィールドに詳しいタイプの学生にも当てはまるでしょう。彼らが必要とするのは、詳しい知識をどうすれば理論化していけるのかという方法的な力量です。そのためには、先行研究の深い読み込みが最も重要で必須の訓練となるのです。

9 「何のために」「何を」「どのように」の三角形

ちょっと整理しておくと、〈問い〉から出発して、研究課題を明確にしながら研究対象を見つけていくという問題起点型の場合、問題意識を深めるのに最適な事例を発見していくことがポイントです。研究対象から出発する場合、そのような対象がなぜ学問的に重要なのかを、先行研究を読み込むなかで発見しなくてはなりません。アニメやアイドルが好きなだけでは研究にならないのであって、理論的な本をきちんと理解することが必要です。そして、理論起点型の場合、先行研究を超えられるような課題を考え、新たな研究対象を発見しなければなりません。たとえば、『監獄の誕生』をはじめとするフーコーの著作を一生懸命読んできた人であれば、日本の刑務所や学校といった現実に立ち戻って、そこからフーコーを超える視点をどうにか見つけていくのが定石です。ロラン・バルトを読み込んできた人であれば、日本の広告産業とかテレビ番組といった、バルトの著作には出てこない現場に入り、新しい研究課題と研究対象を絞り込んでいく作業が必要です。

どのパターンの場合でも、〈問い〉ないしは〈対象〉と〈研究課題〉の間で、学問的課題についての認識論的な地平を理解する作業が必要になります。たとえば社会学を例に、この点をもう少し説明しておきましょう。一九世紀末から二〇世紀初頭にかけて、社会学の最大の問いは宗教と近代化の問題でした。ですから、マックス・ウェーバーの多くの仕事は宗教社会学ですし、エミール・デュルケームにとっても宗教は最重要課題でした。しかし、これが一九二〇、三〇年代以降になると、大衆消費社会への動きが広がり、文化と資本主義をめぐるテーマ群がせり上がってきます。さらに戦後、都市化と消費社会、階級と階層、ジェンダー、グローバル化といったテーマも中心的な位置を占めていきます。他方、アイデンティティー、他者、コミュニケーションなどをテーマとする場合、それらのほとんどは近代的自我とは何かという問題とつながります。これら、社会学が発展するなかで扱われてきた主要なテーマは、実は有限です。それも、二〇も三〇もあるわけではなく、せいぜい一〇前後だと思います。ですから、社会学ではあらゆるタイプの〈問い〉が、その一〇前後の主要テーマのどれか、あるいはその複数の組み合わせの中に位置づけられるのです。

こうして〈研究課題〉がはっきりしてくると、どういう〈研究対象〉を扱っていくかも具体化してきます。もちろん先ほどの対象起点型の場合、〈研究対象〉は所与であることが多いでしょう。しかし、問題起点型でも理論起点型でも、〈研究課題〉がはっきりしてくれば、

〈研究対象〉をどうするかも大概は絞り込まれています。ただし、この逆は必ずしも成り立ちません。つまり、〈研究対象〉が絞り込まれているからといって、〈研究課題〉が明確だとは限らないのです。たとえば、「あなたの研究課題は何ですか」と聞かれて、「私は一八世紀フランスの○○を扱っています」とか、「現代社会の××をやっています」というように、研究対象だけを答える人が少なくありません。この答え方は、一見もっともらしいですが、実はとても不十分です。本当は、こういう質問を受けたなら、「一八世紀フランスの○○について研究をしているけれども、そういう研究をしようと思ったのは、□□と△△の関係についで明らかにするには、この対象が最も適していると考えたからだ」というふうに、その対象の分析を通じてどんな課題に挑戦しているのかを説明してほしいですね。

もちろん、もしある人が「何の研究をしているのですか」と研究対象を聞かれたときに、「こういう問いを抱えています」とか、「私の研究課題は、社会学でいう□□と△△の関係の問題です」とかいうふうに答えるのも、はなはだ不十分な答え方です。それでは、同じ専門分野の研究者ならばおおよそのポイントを理解するかもしれませんが、専門外の人にはさっぱり理解してもらえないでしょう。やはり、具体的な研究対象との関係で自分の問いや研究課題を説明できる必要があります。要するに、研究の目的と対象と方法、すなわち「何のために」「何を」「どのように」という三点は、根幹的なトライアングルなのです。

10　たった一つの概念に研究課題を絞り込む

　さて、このように〈問い〉と〈研究課題〉、それに〈研究対象〉がはっきりしてくると、次にしなくてはならないのは先行研究への取り組みと分析枠組の構築です。先行研究への取り組み方はすでに説明しましたので、ここではそこから分析枠組の構築に向かう際に注意すべき点を説明します。この段階で、最も留意しなくてはならないのは、自分自身の〈問い〉や〈研究課題〉から見て中心的でない理論や概念は躊躇せずに捨てることです。

　というのも、本を読めば読むほど、勉強をすればするほど、あれも面白い、これも面白いとなっていって、関心のある概念や理論、つまり道具立てがどんどん膨らみがちになります。それで、自分の主張を権威づけたいという思惑もあって、強引に分析枠組の中に複数の、それどころか多数の概念や理論を埋め込む人が出てきます。そういう人は、だんだん自分が何をやりたいのか、多すぎる道具立てに溺れてわからなくなってしまう。

　これでは、うまくいきません。海を遠くまで泳ぐのに、できれば足ひれくらいはあったほうがいいかもしれません。しかし、泳ぐための道具をあまりに多く抱え込むと、かえって体が重くなって溺れてしまいます。そういう時は、面白そうな道具立てでも捨てる覚悟が必要なのです。あれも面白そう、これも面白そうとなって、どれを捨てればいいか分からなくなったときは、もう一度、〈問い〉と〈研究課題〉に立ち戻りましょう。

その絞り込みの一つの方法は、自分の〈研究課題〉を、たった一つの抽象的な概念に集約してみることです。たとえば、研究課題を「一八世紀フランスの○○が××で〜、それは□□と△△のこういう関係を明らかにするためで〜」というように説明するのでも、また当事者としての怒りや苦悩の体験談を長々と告白するのでもなく、たった一つの概念に自分がやろうとしていることを集約する。これならば、誰に対しても研究のポイントを三秒で説明できます。何よりも自分自身が、研究の基軸が何なのかを意識し続けられる。

再び、私自身の例で恐縮ですが、私が初期の研究、つまり『都市のドラマトゥルギー』や『博覧会の政治学』でしていたことの中核的な概念は、「祝祭性と権力」です。ですから、その研究にとってヴィクター・ターナーやクリフォード・ギアツ、アーヴィング・ゴッフマン、ミッシェル・フーコー、ミハイル・バフチンといった人々の研究は中核的でしたが、マーシャル・マクルーハンをはじめとするメディア研究も、カルチュラル・スタディーズのオーディエンス研究も、その軸線上にはなかった。もちろん、私はこれらの先行研究を読んでいなかったわけではありませんし、都市論とメディア論は近接していましたが、それはそれで別の系列の研究として、当時の主軸の研究からは切り捨てています。

ここで言う「一つの概念」というのは、かつてタルコット・パーソンズが言った「サーチライト」としての概念という考え方に近いですね。つまり、概念の光を当てることで、暗闇からある研究領域の構造が浮かび上がってくる。最初から、研究対象が一つの構造化された領域としてあるのではなく、研究者が概念を設定し、その視点からその領域を照らしていくことで、初めて暗闇の向こうにあるものがまとまりをもって浮かび上がってくる。もちろん、どんな概念でも勝手な解釈で設定していいというわけではなく、その概念が一般にどう定義されてきたかを調べておく必要があります。その概念をめぐって、どのような研究がなされてきたのか、きちんと把握していなくてはなりません。そういった作業をしながら、自分なりの概念定義をしていく。そしてその概念の軸線で、ぼんやりとした研究領域を構造化していくのです。それをかつてパーソンズは、サーチライトに喩(たと)えたわけです。

たとえば、こうした作業を経て、「戦争の記憶」という概念にたどり着いたとします。そうすると、先行研究として読むべきものが膨大に決まってきます。集合的記憶に関する一連の先行研究はもちろんですが、フロイトの無意識やトラウマ、ポストコロニアリズムの流れを汲むいくつかの研究にもその範囲は及ぶでしょう。さらに具体的な歴史的、人類学的研究として、広島を扱ったもの、従軍慰安婦を扱ったもの、ベトナム戦争を扱ったもの、9・11の同時多発テロを扱ったものなど多数が浮上してきます。その全部はとても手に負えないということになって、今度はさらに焦点を絞り込む必要が出てきます。たとえば、戦争の記憶と都市の中のモニュメントの関係であるとか、戦争の記憶と日米関係であるとか、戦争の記憶と男性中心主義の関係であるとかです。ところが、このそれぞれのサブテーマに、それぞれ膨大に先行研究がありますから、これはあまり範囲を絞り込んだことにならないかもしれません。では、焦点を絞るためには、いったいどうしたらいいのでしょうか。

重要なポイントは、「戦争の記憶」という概念を、どのような観点から掘り下げていくのかを明確にすることです。たとえば、「戦争の記憶」がいかに都市のモニュメントに表現されてきたかを考えるなら、記憶が公共的にどう表現されるかが問題で、人類学的なアプローチが軸になるはずです。日米関係の中でそれを考えるなら、記憶の地政学とでも言うべきアプローチになりますから、文化外交研究と記憶論が結びつきます。記憶と男性中心主義の関係を考えるヒントは、もちろんジェンダー研究です。ですから、「戦争の記憶」という〈研究課題〉の基軸と交差するのは、どのような〈分析枠組〉で問題を考えていくのかというアプローチの視角なのです。先行研究を読みこなしつつ、自分の研究にとってどのような〈研究課題〉と〈分析視角〉の組み合わせが戦略的に有効なのかを見定めていく、その結果として〈分析枠組〉を編み出していく知力が必要です。

11 〈問い〉が一つなら、研究テーマは複数のほうがいい？

このような研究の絞り込みについて、ウンベルト・エーコは『論文作法』で、「〈研究対象は〉範囲を狭めるほど、仕事は良くなり、基盤がしっかりする。モノグラフ的論文の方がパノラマ的論文よりも望ましい」と書いています。パノラマ的論文というのは、あれもこれも並べ立てて、多様な情報が詰め込まれている論文のことです。それよりも、対象と視点が絞り込まれたモノグラフ的論文のほうが望ましいとエーコは断言します。さらに彼は、研究対象は「他人によってもはっきりと認識できるように規定された対象」でなければならないし、研究は、その対象についてすでに言われていることを「別の視座から再検討する」のでも構わないとも書いています。研究対象がまったく新しいことは何ら重要なことではありません。むしろ、その対象を何を基軸に据えて捉えるのかがはっきりしており、その基軸とアプローチの視角の関係が説得力のあるものであることが非常に重要なのです。

ですから、創造的な研究というのは、必ずしも先行研究を全面的に刷新するような研究ではありません。従来からある〈対象〉に、新しい〈問い〉や〈方法〉を導入すると、その対象が従来とはかなり違って見えてくる。そうした半面の新しさが、十分に創造的であり得るのです。たとえば、シェイクスピアについての研究は、現代にいたるまで何世紀にもわたって行われてきました。それでも新しい研究が出てきます。それは、同じシェイクスピアの作品でも、新しい視点から分析することで、従来とは異なる可能性が見えてくるからです。分析対象はずっと同じであっても、視点が変われば知的創造性が生まれます。逆に、問いも対象も方法も、すべてが新しいものを目指すと、何が創造的なのか、比較対象がなくて誰も理解できなくなってしまうかもしれません。ですから、基本的に〈問い〉や〈方法〉が新しければ、研究対象は従来からあるものを選んだほうがいいとも言えるのです。

ところで、外山滋比古さんは『思考の整理学』において、「研究テーマは一つでは多すぎるから、二つにしなさい」と書いています。とても面白い言い方ですね。研究テーマを一つに絞り込んでしまうと、そこから展開できる方向の選択肢がありすぎて、その中でどの方向に向かうべきなのか本人もわからなくなってしまう可能性がある。なぜなら、すでに述べてきたように、その研究テーマを選んだだけでは、それをどう分析していくかの基軸が据えられたことにはならないからです。しかしテーマを二つ選んでおくと、相互の関係から、そもそも自分が何をやろうとしているのかが見えやすくなってくるわけです。

余談になりますが、私は大学院入試の面接などで、もしも時間があるのなら受験生に二つの異なる研究対象を提案させるといいと考えています。「あなたがもしも合格したら、やってみたいと思う研究対象を二つ説明しなさい」というわけです。それで、二つの提案が出てきたら、両者の関係について説明させる。その説明能力を見ることで、その人がどのくらいまで方法意識や分析視座を持ち、学問とは何かを認識しているか測ることができます。柔軟で高度な思考力を持っている人は、ある研究対象がいろいろな理由で困難に直面しても、同じ問いを別の研究対象で考えていくことができます。重要なのは〈問い〉の一貫性であって、一つの対象を抱え込み続けることではありません。ある一貫性のある〈問い〉にこだわり続けながら、二つのテーマ、つまり二つの研究対象なり研究課題なりを構想していくことができる能力を養うことは、知的創造にとって根本的な基盤となります。もっとも、このような面接はかなり時間がかかってしまうので、今のところは現実的ではありません。

つまり、根本の問いは一つでも、そこから研究課題は複数生まれるかもしれませんし、その研究課題に対して複数の研究対象があり得ます。この課題や対象を研究テーマと呼ぶならば、大きな研究テーマが一つだとしても、そこには複数のサブテーマが含まれています。研究課題や対象を絞り込んでいく際、まずはその中の一つのサブテーマが選択されるわけですが、他のサブテーマはその横に残されます。その全体の布置が見えていれば、あるサブテーマから別のサブテーマに移行していくことは難しいことではありません。要するに、研究の価値を決めるのは、対象へのこだわりではなく問いへのこだわりなのです。

12 分析枠組は、基軸となる概念の次元からなる

本章の最後に、分析枠組の構築についての若干のアドバイスをしておきましょう。分析枠組とは、一言でいうならば、具体的な現象についての個別的な把握を、抽象的な概念の関係図式に近似的に一般化するフレイムです。研究を進める際によく使う言葉として、「当事者概念」と「操作概念」という区分があります。概念には、大雑把に言ってこの二種類があるということです。当事者概念とは、ある状況の内部にいる当事者が、自分が置かれている状況や他者や自己、それに関連する様々な事象を理解するために用いる概念です。それは抽象的な概念ですが、あくまで状況内の当事者から見てそう概念化されるというものです。

これに対して操作概念とは、研究対象とそれを取り巻く事象を理解するために、論文を書いている研究者自身が操作的に定義して用いるもので、マックス・ウェーバーはかつてこれを理念型という手法にまとめ上げ、より実証的な社会科学ではしばしばモデルと呼ばれたりしてきました。それぞれ微妙に違いますが、要するに操作概念は実態ではない、実態は様々な面を持っていて捉えどころがないけれども、仮に定義された概念の組み合わせで実態を分析してみると、現象の一側面を切り取って把握することができるというものです。

そして、分析枠組とは、明らかに操作概念の組み合わせによって構築されます。つまり分析枠組は、とりあえずは当事者概念からは峻別されるのです。もちろん、そのような峻別が孕む欺瞞については、二〇世紀の人類学批判が鋭く問うたところなのですが、少なくとも研究の初期段階では、フィクションと知りながらもそのような峻別をしておく、つまりあくまで研究者が操作的に定義する概念の組み合わせとして分析枠組を作ったほうが、研究を前に進めることができます。したがって、分析枠組を構築するには、まずその基礎をなす分析概念を理念的、ないしは操作的に定義しなくてはなりません。

私たちが知る、そのような概念の最も一般的なものは、「階級」「ジェンダー」「エスニシティ」「世代」などから始まって、「〇〇志向」であるとか、「××型社会」「△△的パーソナリティ」といったものまで広範囲に及びます。実際、『社会学事典』や『政治学事典』、『人類学事典』などの専門分野の事典類に出てくる専門用語のかなりの部分が、これまでの学者たちが編み出してきたこれらの操作概念の説明で占められています。それらの概念が、単に何を意味するかだけでなく、何のために、どのような研究の中で考えられた概念なのかを理解することは、それぞれの専門分野を習得することの重要な部分です。

これまで述べてきたことから明らかですが、創造的な研究をしていくには、すでにある分析概念や分析枠組をそのまま使うのではなく、それらの概念や枠組の限界を見据え、それを乗り越えるような概念を定義したり、新しい仕方で概念間の関係を設定したりしなくてはなりません。まさにそのような作業のために、すでに述べた先行研究の批判的検討が必要なのです。この意味での先行研究のレビューは、過去の枠組や概念を批判的に検討し、その問題点や限界を乗り越える仕方で概念を定義し直していく過程を含みます。研究を進めるなかでコアの概念がぶれないようにするには、まずそれだけ深く先行研究の読み込みと批判がなされていないといけないのです。そして実際、主要な理論的な先行研究として参照されるような著作では、その中で概念の定義がぶれていることなどほとんどないはずですから、概念定義の仕方やその一貫性維持の方法という点でも、先行研究は参考になるはずです。

そして、過去の知的創造の骨格をなしてきた古典的著作を通覧すると、それぞれ基軸となる概念の対立軸があったことに気づきます。たとえば、マックス・ウェーバーの古典的な資本主義形成に関する分析では、「欲望」と「禁欲」の対立軸が基軸で、この軸に従ってプロテスタンティズムの役割が問われます。この観点は、カール・マルクスが資本主義について考えた際に根底をなした「共同体」と「市場」の対立、そのなかでの「価値」の増殖や「階級」の形成といった問題とは異なるものでした。他方、エミール・デュルケームの社会分析では、「個人」と「社会」の対立が前提とされ、この「社会」の側について「結合」と「分解」の対立が問題にされました。他方、シカゴ学派以降のアメリカ社会学の都市分析を貫いたのは、「同調」と「逸脱」という概念軸でした。そこでの「逸脱」の概念に対する批判として、戦後、ハワード・ベッカーらの「ラベリング」やアーヴィング・ゴッフマンの「演技」のような、私の言う上演論的なアプローチが登場してくるのです。

他方、構造主義以降の社会理論が問うたのは「構造」と「歴史」の対立です。この「構造」概念は、デュルケーム的な意味での「社会」とジークムント・フロイトが考えていた「意識」と「無意識」の対立が結びつくなかで浮上したもので、社会の無意識的な構造を分析する有力な手掛かりを提供したのはフェルディナン・ド・ソシュールらによる言語学の革新でした。つまり、デュルケームは「個人」の総和を超えて「社会」が存在することを明らかにし、フロイトは「意識」の下層に「無意識」が存在することを明らかにし、構造主義は、この「社会」の「無意識」にアプローチする方法を探ったのです。

ところがポスト構造主義になると、そこからこぼれ落ちていた歴史的な問い、とりわけ「権力」の問題がクローズアップされていきました。フェミニズムは「男性」と「女性」、ポストコロニアリズムは「帝国」と「植民地」の間で、権力が社会の無意識においてどう作動しているかを考えるところから出発したわけです。重要なことは、これらすべての概念は、基本的には当事者概念ではなく操作概念であることです。私たち誰しもが個人を超えた「社会」や意識下の「無意識」の存在を知っていますから、これらは当事者概念でもあるのですが、それでもこの概念的区別は保持しておいたほうがいいでしょう。

先行研究の批判的検討からそれぞれの研究の分析枠組を導き出していく際に、最も重要なのは、それぞれの研究関心に沿った仕方で研究の根本となる操作的な概念の基軸を構築していくことです。そして、この基軸はそれまでその学問領域でなされてきた概念体系と結びついたものでなければなりません。もちろん、すでにある概念をそのまま使うことも可能ですが、そこには何らかの再解釈があるべきですし、そのような既存の概念体系を批判する仕方で、新しい概念の軸を提案するのは知的創造の有力な方法です。

たとえば、フェミニズムでは、「男性」「女性」という二項対立的な概念のフレイムを批判して「ジェンダー」から「クィア」に至る新しい概念が提起されてきましたし、ポストコロニアリズムでは「帝国」と「植民地」の境界線を問題化するような仕方で「境界侵犯」や「コンタクトゾーン」のような概念が提起されてきました。同じような概念体系の批判的な乗り越えは、様々な仕方で可能なはずです。それは、概して言うならば古典的な理論が前提にしてきた二項対立を乗り越え、その中間や上部、下部、さらには周辺に新しい概念を設定するような仕方でなされます。そして、そのような新しい概念が設定されると、そこに新しい理論上の次元が発生し、すでにある概念の諸次元と関係し始めるのです。

13　異なる分析概念の関係から創造的な仮説が生まれる

ここまで来たときに思い出していただきたいのは、何であれ社会的な現象は、一定の空間的、時間的制約の中でカテゴリー化されていることです。帝国と植民地、西洋と東洋、ヨーロッパとアジアとアフリカ、中国と日本と韓国、都市と農村など、空間的制約のあり方は様々です。同じように、前近代と近代、初期近代（近世）と後期近代、近代と現代、江戸と明治、戦前と戦後、高度成長期とポスト高度成長期など、時間的制約のあり方も様々です。もちろん、これらの区分も操作概念としてあるわけですから、実体がアプリオリにそうだということではなく、社会がひとまとまりのものとして把握されるには、そのような概念的区分が不可欠だというのがポイントです。したがって、ある考案された概念軸によって分析していく対象には、実はすでに何らかの概念的な分割線が内挿されていたのです。

以上を組み合わせると、分析枠組の最も原型的なかたちが出来上がります。つまり、分析者はその問題関心に沿って、先行研究の概念体系を十分に踏まえた上で、自分の研究の基軸となる何らかの概念の次元を設定します。そして、その次元やそれと既存の他の諸概念の次元を組み合わせた枠組に従って研究対象の考察を進めていきます。その際、研究対象の区分を外的ないしは内的に明らかにし、それらの次元によって様々な比較をしていくことが可能になるわけです。外的な比較とは、研究対象を異なる空間的次元、つまり異なる地域や国、文明圏などで比較していくことや、異なる時間的次元、つまり異なる時代で比較していくことを意味します。内的な比較とは、その社会現象の成り立ちをジェンダーや階級、エスニシティから地域、世代、サブグループなどによって比較していくことを意味します。そのような比較をしていくと、分析の次元のほうももっと細かく、精緻に分節化されていく必要が出てくるでしょう。分析枠組の分節化と分析対象の分節化は、同じコインの表裏です。

結果的に、そのような作業を進めていくなかで、研究の作業仮説、さらには結論に向けての見通しがはっきりしてきます。というのも、研究の結論、つまり知的創造の果実とは、要するにこの異なる概念的な次元の関係についての新しい展望のことだからです。

たとえば、多くの研究がまずよくするのは、複数の概念的な次元の相関関係を読み解くことです。もちろんこれが逆相関になっている、つまり次元Xと次元Yが背反していることを明らかにする場合もあります。そしていくつかの研究は、異なる次元間の因果関係も明らかにしようと試みます。その際、必須の検証ポイントは、二つの次元の相関は実は疑似相関、つまり真の原因は別にあって、二つの次元の間に因果関係があるわけではない可能性のチェックです。さらに、二つの次元が因果的であるというよりも、ある種のフィードバックするループをなしている場合もあるかもしれません。このあたりは、社会科学系の教科書を読めば必ず出てきますから、本書で詳しく説明する必要はないでしょう。いずれにせよ、様々なチェックポイントに留意しつつ、異なる次元間の因果関係を考えていく作業に意味がないわけではありません。しかしさらに重要なのは、異なる次元間の関係は、歴史的に変化し続けることが多く、決して固定的なものではないという認識です。

このような諸々の留意事項に丹念に配慮しつつ、最終的に構想される仮説が創造的なものとなるのにも、いくつかの典型的なパターンがあります。なかでも最もスリリングで、時にはドラマチックですらあるのは、ある次元での諸連鎖が、その構造的な必然として、その次元が向かっているはずのものとは正反対の結果を生んでいることが明らかにされるような場合です。しばしば引用されるマックス・ウェーバーの古典的名著である『プロテスタンティズムの倫理と資本主義の精神』は、まさしくその歴史の逆説の証明でしたが、他にも古典的名著と呼ばれるものには、歴史の逆説に注目しているものが少なくありません。卑近な例では、アメリカのトランプ政権だって、「アメリカ・ファースト」と言いながら米国のグローバル覇権をどんどん弱めているわけですから、歴史は本当に逆説だらけです。

知的創造にはドラマチックなところが必要だと、私はどこか思っているのですが、その理由は私たちの生きている社会や歴史は、根本的に機械ではないからです。すべてが計算し尽くされたら、つまり概念的なシステムから予想される通りの結果しか生まれないのなら、その分析はＡＩに任せてしまえばいいでしょう。しかし、実際の社会や歴史は決してそうではありません。社会は矛盾や亀裂、逆説に満ちており、その一筋縄ではいかないところを分析するのが広い意味での文系的な領域の魅力です。たとえば、今、お話しした歴史の逆説にしても、逆説の生じ方は様々です。ストレートに正反対の結果というよりも、複数の相矛盾する社会の次元が衝突し、交渉していくなかで思わぬ結果が生まれてきてしまう場合もあるでしょう。さらに、そこで最初に設定されていた概念の基軸からすればまったく派生的にすぎなかった次元が、別の要因に作用して本来の基軸を押しのけるほど大きな結果を生む場合もあるでしょう。そうした場合、研究が初期に設定していた仮説は失敗に終わるのですが、この失敗こそ大きな知的創造となります。壮大な失敗は、壮大な知的創造の原基です。

第3章

ポスト真実と記録知／集合知

1 ネット社会と知的創造の条件

すでにお話ししたように、知的創造についてはこれまで大きく二系統の人々によってまとまった本が書かれてきました。一方は社会学者によるもので、清水幾太郎の『論文の書き方』から高根正昭の『創造の方法学』へとつながり、最近では苅谷剛彦の『知的複眼思考法』、大澤真幸の『思考術』（河出ブックス、二〇一三年）、上野千鶴子の『情報生産者になる』（ちくま新書、二〇一八年）などが出されてきました。千葉雅也の『勉強の哲学』も、大きく言えばこの系譜に属します。私も社会学者ですから本書もこの系統で、特にこれまでお話ししてきた前半は、この清水以来の系列に連なります。これらの著作で示されてきたのは、自明性への問い、つまり大多数が当たり前だと思っていることに対して内在的に疑問を発し、自明性を相対化しながら新たな認識を獲得すること。そして、そこから物事を説得的に説明していけるようになるにはどうすればいいのか、という方法論でした。

他方、もう一方の系統は情報学や文明論の学者によるものです。その出発点に位置づけられるのは、川喜田二郎の『発想法』と梅棹忠夫の『知的生産の技術』ですが、これは加藤秀俊の『取材学』（中公新書、一九七五年）、外山滋比古『思考の整理学』、そして野口悠紀夫の

『「超」整理法』などへとつながっていきます。この系譜の議論が焦点を当ててきたのは、創造的思考についてのメディア論的なアプローチでした。つまり、人間は自分の頭の中でひっそりと思考しているのではなく、考えたことを紙やスケッチブック、黒板、さらにはｉｐａｄの画面に書き、その情報を複数で共有しながら集団的に思考を深めているわけです。したがって、どんなメディアがいかに思考を媒介しているのか、そしてそれをどう使っていけばより創造的な思考が可能になるのかを論じたのがこの系譜でした。知的創造を外在化することと、メディア化することの重要性をこの系譜の議論は示してきたわけです。

これから本書で試みようとしているのは、前者の、自明性を内在的に壊していくという社会学的な方法論を踏まえつつ、後者が視野に入れてきた思考のメディア論的な次元を「知的創造の条件」として洞察していく作業です。実際、インターネットの爆発的普及とともに、川喜田や梅棹がおぼろげに想像していた集合知の時代がはっきりやって来ています。梅棹は一九六三年に「情報産業論」という論文を『中央公論』に寄稿し、いち早く情報社会の到来を予見していました。この情報社会の概念は、一九六〇年代から七〇年代にかけて、日本とアメリカでほぼ同時的に発達したものです。アメリカにおけるこの概念の発展は、フリッツ・マッハルプの知識産業論（一九六二年）やダニエル・ベルの脱工業化社会論（一九七三年）、アルビン・トフラーの「第三の波」論（一九八〇年）などによって唱導されたものでした。他方、日本でも、情報社会論が一九六〇年代から八〇年代まで、繰り返しブームを起こしています。その原点が、梅棹が六〇年代初頭に展開した「情報産業論」なのです。

そこで梅棹忠夫は、動物の組織が主として内胚葉諸器官（消化器官や肺）、中胚葉諸器官（骨格、筋肉、生殖器官）、外胚葉諸器官（脳、神経、感覚諸器官）の三種類からなっているのに対応させ、近代社会も中胚葉諸器官に相当する港湾、交通運輸、建設などを基盤にする工業社会から、むしろ外胚葉諸器官に相当する情報、通信、マスコミ、教育・文化など「情報産業」を基盤にする社会に移行していくと論じました。彼は日本が、インフラ整備ばかりに巨大な資金を投じる土建国家から、情報網の整備や新しいメディアの開発、教育や文化といった知的創造の条件を整えることを重視する情報産業型の国家に転換していかなければならないと六〇年代初頭から主張していたのです。そして、同じ頃に『知的生産の技術』を書くわけですから、この二つは関係していたはずです。つまり、梅棹は個人レベルでの知的創造のメディア論と、国家レベルでの知的創造の産業論を同時に考えていた人です。

しかし、梅棹の卓見と政治力をもってしても日本は変わらず、土建国家体制はその後も半世紀以上続きます。日本がどうしようもなく駄目なのは、ビジョンを示す人がいないからではなく、ビジョンを実現する政治的回路を決定的に欠落させているからなのでしょう。

いずれにせよ、梅棹に続きやがて一九六七、六八年頃になると、「情報化」や「情報社会」といった議論が未来学者や経済学者、政府などによって盛んに使われていくようになり、一九六八年には増田米二が『情報社会入門』(ぺりかん社)を、翌六九年には林雄二郎が『情報化社会』(講談社現代新書)を刊行してベストセラーとなっています。さらに一九七一年には、主だった社会科学者や情報社会論者を一堂に集めた全二〇巻からなる『講座・情報社会科学』というシリーズが学習研究社から発刊されてもいる。出版産業には、時代の最先端の知的ブームをリードする勢いがあったのですね。しかしマクロ的には、戦災復興から高度経済成長への流れを乗り切り、繁栄のシンボルとしての大阪万博を迎えていた日本社会の楽天的気分と情報社会論の楽天性がよくマッチしたのだと思います。

一説では、「情報社会(information society)」という概念は、日本から欧米に広まっていった概念であるとも言われています。その主役は増田米二で、彼は「情報社会」という名称を造語しただけでなく、海外での講演で彼が考える情報社会の未来像や政策的提案を持ち歩き、自らの命名を世界に広めたとされます。一九七〇年代半ば以降、欧米でも「情報社会」や「情報化」の概念が、新しい通信システムやコンピュータの発達を背景に広がります。そして、すでに述べたベルやトフラーなどの議論でも用いられていくのですが、そもそも「情報社会」についての想像力は、日本がアメリカに先行していたらしいのです。

とはいえ当時の情報社会論は、今日のネット社会の到来を正確に予言していたのでは必ずしもありません。まず、そこでは情報が、その質的な構造次元を捨象して、すべてを量的な変化で一元的に把握されていました。情報社会論は、社会的に流通する情報の総量や経済活動の中の情報産業の割合などの量的変化が社会の構造的な変容をもたらすと考えました。

また、一九六〇年代の日本の情報社会論は、情報技術の革新が社会を根底から変えるという技術決定論を前提にしていました。その場合、彼らが社会革新の原動力として考えていたコンピュータは、今日のようなPCやモバイルを端末とするネットワークではなく、まだなお大型電子計算機でした。増田の議論では、工業社会から情報社会への移行によって、蒸気機関はコンピュータに、近代工場は情報ネットワークに、物的生産力は知的生産力に、市場経済は共働経済に、労働運動は市民運動に取って代わられていくことになっていました。すでに当時から、専門的技術サービス職による知的労働の拡大は予見されていましたが、産業の変化を超えて、人々の日常のコミュニケーションが情報社会においてどのように根底から変容してしまうかを見通せていたわけではありません。

しかし、一九九〇年代以降、この一九六〇年代の情報社会論のビジョンは、そこで想像されていた射程を超えて実現していきます。この変化は、一九九五年にWindows 95が発売され、インターネットが爆発的に社会に普及していくなかで決定的なものとなりました。そこでの変化のポイントは二つあって、一つは普通の人々にとっての情報や知識へのアクセシビリティが爆発的に拡大したことです。新しい検索システムが次々に登場し、ネット上の情報が豊かになっていくことによって、いつでも、どこでも、その時に必要だと思った情報に即時に容易にアクセスできる状況が実現していったのです。もう一つは、インターネットを通じ、誰もが情報発信者になっていったことです。それまでは、知識人やジャーナリストがメディアを介して情報を発信し、一般人はその受け手という構図が支配的でした。ネット普及を機に誰もが情報発信者となり、この構図が決定的に崩れていったのです。

2　知識における作者性と構造性

本書のテーマは「知的創造の条件」を語ることで、「情報社会」一般でも、最近の言葉なら「知識基盤型社会」一般でもありません。そこで、この焦点に絞ってネット社会がもたらした二つの重大な変化、つまり情報へのアクセシビリティの劇的な拡大と、誰もが情報発信者になっていったことのそれぞれについて、議論をもう少し深めておきましょう。

一方で、グーグル検索等によるネット上の莫大な情報へのアクセシビリティの拡大と、それらの情報の編集可能性の拡大は、私たちの知的生産のスタイルを大きく変えました。この変化の中で、今日、ネット情報をコピーしてレポートを作成する学生や、報道機関の記者が十分な取材をしないままネット情報を利用して記事を書いてしまい、後でその情報が間違っていたことがわかって問題となるケースなどが生じています。

こうした状況を受け、レポートや記事を書く際、ネット情報の利用はあくまで補助的で、図書館に行って直接文献を調べ、現場へ足を運んで取材をすべきだと主張する人もいます。他方、そんなことをしていては変化に追いつけないので、ネット検索で得た情報をもとに書くことも認めるべき、さらに踏み込んで、書物や事典を参照して書くことと、ネット検索で得た情報をもとに書くことの間に本質的な差はないと主張する人もいます。ネット情報と図書館に収蔵されている本の間には、そもそもどんな違いがあるのでしょう。私の考えでは、両者には作者性と構造性という二つの面で質的な違いがあります。まず本の場合、誰が書いたのか作者がはっきりしていることが基本です。著作権の概念そのものが、ある著作物には特定の作者がいることを前提に発展してきたわけで、だからこそオーファン（孤児）著作物の処理が問題になるわけです。つまり、本というのは、基本的にはその分野で定評のある書き手、あるいは定評を得ようとする書き手が、社会的評価をかけて出版するものです。ですから、書かれた内容に誤りがあったり、誰か他人の著作の剽窃があったりした場合、責任の所在は明確です。その本の作者が責任を負うのです。

これに対してネット上のコンテンツでは、Wikipediaに象徴されるように、特定の個人だけが書くというよりも、みんなで集合的に作り上げるという発想が強まる傾向にあります。作者性が匿名化され、誰にでも開かれていることが、ネットのコンテンツの強みでもあります。そこでは複数の人がチェックしているから相対的に正しいという前提があって、この仮説は実際、相当程度正しいのです。つまり、本の場合は、その内容について著者が責任を取るのに対し、ネットの場合は、みんなが共有して責任を取る点に違いがあるわけです。

二つ目の、構造性における違いですが、これを説明するためには、「情報」と「知識」の決定的な違いを確認しておく必要があります。一言でいうならば、「情報」とは要素であり、「知識」とはそれらの要素が集まって形作られる体系です。たとえば、私たちが何か知らない出来事についてのニュースを得たとき、それは少なくとも情報ですが、知識と言えるかどうかはまだわかりません。その情報が、既存の情報や知識と結びついてある状況を解釈するための体系的な仕組みとなったとき、そのニュースは初めて知識の一部となるのです。

よく知られた古典的な例として、コペルニクスの地動説があります。一五世紀半ば以降の印刷革命によって、コペルニクスは身の周りに多数の印刷された天文学上のデータを集めておくことができるようになっていました。つまり、彼は活版印刷以前の時代とは比べものにならないほどの情報にアクセスできたのです。しかしそのこと自体は、まだ知識ではありません。コペルニクス自身が彼のいくつかの仮説に基づいてこれらの情報を選別し、比較し、数式と結びつけて仮説を検証していくことで、やがて地動説に至る考えにまとめ上げていったとき、単なる要素としての情報は体系としての知識に転化したのです。

このように、知識というのはバラバラな情報やデータの集まりではなく、中世からの「知恵の樹」のメタファーが示すように、様々な概念や事象の記述が相互に結びつき、全体として体系をなす状態を指します。いくら葉や実や枝を大量に集めても、それらは情報の山にすぎず、知識ではありません。情報だけでは、そこから新しい樹木が育ってくることはできないのです。そしてインターネットの検索システムの、さらにはＡＩの最大のリスクは、この情報と知識の質的な違いを曖昧にしてしまうことにあると私は考えています。

というのもインターネット検索の場合、社会的に蓄積されてきた知識の構造やその中での個々の要素の位置関係など知らなくても、つまり樹木の幹と枝の関係など何もわからなくても、知りたい情報を瞬時に得ることができるわけです。つまり、ネットのユーザーは、その森のどのあたりがリンゴの樹の群生地で、その中のどんな樹においしいリンゴの実がなっていることが多いかを知らなくても、瞬時にちょうどいい具合のリンゴの実が手に入る魔法を手に入れているようなものです。それで、その魔法の使用に慣れてしまうと、いつもリンゴの実ばかりを集めていて、そのリンゴが実っている樹の幹を見定めたり、そこから出ているいくつもの枝の関係を見極めたりすることができなくなってしまうのです。

さらにＡＩに至っては、ユーザーは自分がリンゴを探しているのか、オレンジを探しているのかがわからなくても、目的を達成するにはリンゴが適切であることをＡＩが教えてくれて、しかもまだ検索もしていない間に、適当なリンゴをいくつも探し出してきてくれるかもしれません。結局、私たちは検索システムやＡＩが発達すればするほど、自力で自分がどんな森を歩いているのかを知る能力を失っていく可能性があります。

本を読んだり書いたりすることが可能にするのは、これらとは対照的な経験です。文学についてでは言明を差し控えますが、少なくとも哲学や社会学、人類学、政治学、歴史学などの本に関する限り、それらの読書で最も重要なのは、そこに書かれている情報を手に入れることではありません。その本の中には様々な事実についての記述が含まれていると思いますが、重要なのはそれらの記述自体ではなく、著者がそれらの記述をどのように結びつけ、いかなる論理に基づいて全体の論述に展開しているのかを読みながら見つけ出していくことなのです。この要素を体系化していく方法に、それぞれの著者の理論的な個性が現れます。

古典とされるあらゆる本は、そうした論理の創造的展開を含んでおり、よい読書と悪い読書の差は、その論理的展開を読み込んでいけるか、それとも表面上の記述に囚われて、そのレベルで自分の議論の権威づけに引用したり、自分との意見の違いを強調したりしてしまうかにあります。最近では、おそらくはインターネットの影響で、出版された本の表面だけをつまみ食いし、それらの部分部分を自分勝手な論理でつないで読んだ気分になって書かれるコメントが蔓延しています。著者が本の中でしている論理の展開を読み取れなければ、いくら表面の情報を拾い集めてみても本を読んだことにはなりません。

今のところ、必要な情報を即座に得るためならば、ネット検索よりも優れた仕組みはありません。この点で紙の本の読書は、ネットに敵わない。わざわざ図書館まで行って、関係のありそうな本を何冊も借りて一生懸命読んでみても、知りたかった情報に行き当たらないというのはよくある経験です。見当違いの本を選んでしまったのかもしれません。借りてきた本を隅から隅まで読んでも、肝心なことは書かれていなかったということも起こり得ます。しかしネット検索ならば、はるかに短時間で、関係のありそうな本を読むよりもかなり高い確率で求めていた情報には行き当ります。したがって、ある単一の情報を得るには、ネット検索のほうが読書よりも優れているとも言えるのです。

同じ理由で、論文の剽窃チェックなども、コンピュータの検索システムのほうが熟達した研究者よりも高い確率で問題点を抽出します。人間は、論文で展開されている論理を読み解こうとしますから、表面的な記述の異同は気づきにくくなります。その論文が、誰の先行する理論に影響を受けているのか、論理展開の背景にどんなこだわりがあるのかは読み取るのですが、個々の表現の表面的な変化や異同は、なかなか細かくは見きれません。そこのところは、人間よりもコンピュータのほうがよほど精密にチェックできるのです。

それでも、本の読者は一般的な検索システムよりもはるかに深くそこにある知識の構造を読み取ることができます。これが、ポイントです。調べものをしていて、なかなか最初に求めていた情報に行きつかなくても、自分が考えを進めるにはもっと興味深い事例があるのを読書を通じて発見するかもしれません。それに図書館まで行って本を探していたならば、その目当ての本の近くには、関連するいろいろな本が並んでいて、そのなかの一冊に手を伸ばすことから研究を大発展させるきっかけが見つかるかもしれません。このように様々な要素が構造的に結びつき、さらに外に対して体系が開かれているのが知識の特徴です。ネット検索では、このような知識の構造には至らない。なぜなら検索システムは、そもそも知識を断片化し、情報として扱うことによって大量の迅速処理を可能にしているからです。

3 情報希少の時代から情報過剰の時代へ

この新しい情報システムの中で生み出される情報には、大きく二つの種類があります。一つは、個人やグループが、メールやTwitter、Facebook、ウェブサイト等を通じて発信していく情報です。もう一つは、誰かがネット上で買い物をした際の購買記録、ＧＰＳで残った移動経路の記録、顔や指紋の情報、医療機関などでの診断記録など個人や集団が非意図的に生み出している莫大な情報です。インターネット社会では、これらの意図的、非意図的な情報が、コンピュータ回路の中で加速度的に流通し、増殖し、蓄積され続けます。明らかに現代社会は、情報希少の時代から、情報過剰の時代へと劇的に転換したのです。

情報希少の時代は、出版社や新聞社、放送局などのマスメディアにとって幸せな時代でした。なぜなら、情報を保持していること自体に価値があり、それを本にしたり、記事にしたり、番組にしたりして稼ぐことができたからです。もちろん、そうした状況が完全に失われたわけではありませんが、今や、ネットに接続すればとりあえず知りたい情報はタダで簡単に手に入れられると大半の人が思うようになっています。情報提供者としてのマスメディアの存在価値は大幅に減じたのです。こうして情報産業の重心は、情報を大衆に提供することよりも、その上で情報やコンテンツがやり取りされるプラットフォームを作り上げ、それを人々に利用してもらう方向へと変化しました。「マスコミ」から「プラットフォーマー」へのこの位相転換は、日本ではグローバリゼーションと同時並行的に生じていきました。

この変化は、単に産業の変化というよりも、メディアで流通する情報やコンテンツの質的な転換を伴っていました。もともとマスメディアが果たしていたのは、実は単に情報やコンテンツを提供することだったのではありません。出版も新聞も放送局も、それぞれ異なる仕方で数ある情報から重要なものとそうでないものを選り分け、どの領域で何が重要かという優位づけをし、人々が社会の動きを認知する前提を形作っていました。つまりマスメディアは、情報のゲートキーパーの役割やアジェンダの設定者の役割を果たしていたのです。

それらは、しばしば狡猾なる政治的意図をもってなされていましたから、メディア間の立場の違いや信頼度の違いがあったわけです。それでも、あるメディアがあまりにも極端な立場をとったり、差別的発言をしたり、誤報を繰り返せば、当然ながら他のメディアから徹底的に批判されますから、これらの面での最低限の制約は働いていたと思います。

しかし、インターネットが普及し、誰もが発信者となっていくことで、既存のマスメディアの特権性は、急速に失われていきました。大手マスコミも、個人発信のサイトと似たようなものと見なされ、あらゆるメディアが横並びとなっていったのです。そうすると、大手マスコミは以前ほどには必須のものではなくなり、広告料収入も下がっていく。収益が落ちればその分、コストをかけられなくなります。しかも、多メディア化が進んで一人の人間がしなければならないことは増える。つまり、予算縮小とスタッフの多忙化が連動するわけです。そうなると、情報についての検証やコンテンツの作り込みが甘くなるといったことも起こる。こうして、大手マスコミの劣化が目につくようになると、個人発信のブログと大差ないという認識がますます広まり、ＳＮＳのインフルエンサーのほうがマスコミ以上の影響力を持つことすら生じてくるのです。組織の力が弱まり、個人の力が強まることは、一般の人々にとっても報道やコンテンツがより身近なものになったように感じられます。

しかし、誰もが発信者となることは、私たちを取り巻く環境世界全体で流通する情報を不安定化させます。情報ソースのはっきりしない、誰がどんな経緯で生み出したのかわからない情報が不可逆的に増殖していくのです。もちろん、インターネットで流通する情報には、かつてのマスメディアの枠組の中でなされていたよりもはるかに調べ抜かれた情報も少なくないので、ネット情報全体が劣化しているのではありません。同時に、ネットの情報世界は保証のない世界であり、それはどこか都市の街頭で流れる噂やカフェでの会話、壁新聞や号外、集会での演説や路上の看板にも似ています。ところが、このネットの世界は、相手の顔があまり見えない点で、普通の街中とも異なります。そこでは誰しもが自分の顔を隠したまま大きな声で話すことができますし、別の人間の姿を借りて誰かに話をしていくことも可能です。しかもこの匿名性は、プラットフォームにやって来た人々にとってのもので、プラットフォームの運営者やシステムの監視者にとって匿名なのではありません。

4　認知的多様性とフィルターバブル

このネット環境に関し、対極的ともいえる二つの評価がなされてきました。一方は、匿名的で水平的、しかも多数の異質な人々による議論が知的創造性を拡張するというものです。たとえば、二〇〇〇年代に多くの人に読まれたジェームズ・スロウィッキーの『「みんなの意見」は案外正しい』（角川書店、二〇〇六年）で著者は、「多様性に富んだ集団は、メンバーの大半がそれほど賢くなくても、卓越したリーダーがいなくても、往々にしてその集団の最も優秀な個人よりも正しい判断を下すことができる」と主張しました。つまり、非常に優秀な人たちの同質的な集団よりも、優秀な人とさほどでもない人たちからなるハイブリッドな集団のほうが正しい判断をすることが多いという主張です。多様な個人による民主主義は、賢人政治に勝るというわけです。トップクラスの大学の優秀な学生ばかりを集めたグループよりも、優秀な学生もそうでもない学生もいる、でこぼこの個性が集まったグループのほうが創造的な仕事をするというのはありそうな話です。エリート大学の教室と異なって、ネット空間はしばしばこのようなごった煮的な集まりを可能にします。

ただしこれには、次の四つの条件が満たされていなければならないとスロウィッキーは言っています。一つ目は、突拍子もない意見やピント外れの意見も含め、多様な意見が保証されていなければならないことです。二つ目は、意見の独立性が必要です。たとえば、声の大きい人がいて、それが周囲の人に影響を与えてしまうとか、少数派が沈黙するようなことがあってはなりません。三つ目の条件は、意見の分散性で、各人が自分の意見を形成する際に、その判断材料となる情報が均質化していては駄目で、各人にとって身近なだけでなく、バラバラな情報である必要があります。さらに、各人が意見形成をしたとして、それらの意見を集約する合理的な仕組みがなくてはならない。これが四番目の条件です。これらの条件がすべて満たされるならば、多様な能力、個性からなる混成グループは、優秀な人だけからなるグループよりも常にいい結果を出すというのが、彼の議論でした。

スコット・ペイジは『「多様な意見」はなぜ正しいのか』（日経BP社、二〇〇九年）の中で、多様な能力をもつ人からなる集団のほうが、エリート集団よりもいい結果を出すためには、さらにいくつかの条件が整っていなければならないと指摘しています。その一つは、解決すべき課題が十分に難しいことです。受験問題の応用のような単純な課題の場合、いわゆる「頭のよさ」だけで答えを出せてしまったりもするのですが、世の中には環境問題をはじめとして、ちょっとやそっとでは答えが出ない難問が山ほどあります。そういった難問には、同質的な優秀さよりも多様な知性のほうが力を発揮するのです。また彼は、そのグループに他人のアイデアに疑問を発せられるリーダー的な人が、少なくとも一人以上は参加していることも必要だと指摘します。つまり、全員が凡庸では駄目で、賢い人間も必要だということです。一人ないしは複数の議論の牽引役が必要なのです。さらにグループのメンバーがある程度以上は賢いことや、ある程度以上の人数がいることといった条件が加わると、集団には「認知的な多様性」が生まれるのです。

なぜ、認知的多様性が、難しい課題の創造的な解決には重要なのか。その答えは比較的容易に想像がつくと思います。というのも、往々にして優秀な人というのは、似たような思考パターンを持っていて、何かを分析する際、答えを出しやすい効率のいいモデルを使うことにしようと、あっという間に意見の一致を見ます。この素早さは、まったく別の観点からの意見が出てくることを困難にしてしまいます。そのモデルはそれなりの合理性を持っているので、全然違うふうに考える必要はないかに思わせてしまうのです。そして、そのモデルを使ってある結果が見えて、それを解釈する段になっても、みんな同じような内容になってしまう。ところが、そこで思いもしない新たな問題が発生したりすると、途端に行き詰まってしまうこともある。突拍子もない解決やブレークスルーが生まれにくいわけです。

もしここで、取り組む課題が難問でなければ、彼らは他のどの集団よりも早く答えを出すことができるでしょう。しかし、それだけです。取り組むべき課題がなかなか答えの出そうもないような場合、まったく違う視点から見ている人や、異なる手法を身に着けている人がそこに参加することで困難を突破する力が増すわけです。もちろん、とんでもないことを言い出して、あらぬ方向へ行ってしまう場合もありますが、いろいろな人間がいて多様な観点があれば、ブレークスルーも生まれやすくなります。ですから、同質性の高いエリート集団よりも、ちょっと突拍子もない人や、やたら陽気な人とかが、優秀な人たちの中に混じっている雑多な集団のほうが、多くの場合、よりよい答えを導き出せるわけです。

インターネットでの討議の可能性をポジティブに評価するこうした観点は、二〇〇〇年代初頭までは優勢でした。ところが二〇一〇年代になると様相が劇変します。インターネットの中のコミュニケーションは、自由な討議であるかのように見えながら、実はコンピュータのアルゴリズムによって巧妙に構造化されており、異なる立場の対話を促進するよりも、それらの間の見えない壁を強化する可能性が高いことが示されていったのです。

その代表的な考察は、イーライ・パリサーの『閉じこもるインターネット』（早川書房、二〇一二年）によってなされました。彼は、インターネットの検索サイトのアルゴリズムが、ユーザーの過去のクリック歴や検索歴に基づいて情報を構造化しており、ユーザーが見たいであろう情報を推定し、それが優先的に出てくるような仕組みを実現してしまっていることを指摘し、これを「フィルターバブル（Filter Bubble）」と呼びました。私たちはこの種のアルゴリズムを、たとえばアマゾンがメールで本を推薦してくる際に頻繁に経験しています。フィルターバブルのアルゴリズムが支配するネット環境では、ユーザーは自分の関心に合うニュースや記事とだけ接していればよく、気に入らない記事や関心のないニュースからはますます隔離されていきます。膨大な情報が溢れるネットの世界で、それぞれの個人はそれぞれの狭い関心や立場の被膜＝バブルの中に孤立していくのです。

フィルターバブルは、異なる立場の対話の可能性を開くという初期のインターネットがもたらした可能性を反転させます。インターネットは対話のメディアではなく、むしろ諸個人が自分の価値観に閉じこもり、異なる意見の他者を排除する傾向を促進するメディアとなっていったのです。そして、このインターネットの自閉化は、マスコミに対する敵対意識をそれまで以上にエスカレートさせました。「フィルターバブル」に包まれたネット市民たちは、マスコミ批判の記事を読むと、わが意を得たとばかりに次々と「いいね！」を押すようになり、その数の広がりが、ますますマスコミへの疑いを増殖させていったのです。

こうして新しい局面に入ったインターネットで自閉的なコミュニケーション回路が増殖していくプロセスがどれほど重大な事態を生じさせてしまうかを、二〇一六年一一月八日、全世界の人々が思い知ることになります。実際、選挙前日まで、世界の多数の人々が、アメリカ大統領選では民主党のヒラリー・クリントンが共和党のドナルド・トランプに勝利すると予想していました。しかし、この予想は見事に外れました。トランプ当選後に明らかになってきたのは、想定外の大逆転の背景の一つに、偽ニュースの氾濫、ポスト真実が蔓延していく状況があったことです。実際、大統領選挙の渦中、敵対する候補を誹謗中傷する事実無根の偽ニュースがネットを通じて大量にばら撒かれていきました。震源地となったのはマケドニアなどの貧しい地域で、普通の若者たちが人々にショックを与える偽ニュースを粗製乱造し、ネットでのアクセス数を稼いで広告収入を得ていったのです。この出来事のポイントは、彼らが発信した大量の「嘘」を、トランプ支持層が信じ込んで反クリントンの結束を強化させ、世界最大の国家の大統領選挙の結果にまで影響を及ぼしたことです。

一九六〇年のケネディとニクソンが戦ったアメリカ大統領選では、テレビが決定的な役割を果たしましたが、二〇一六年の大統領選では、勝敗の鍵を握るメディアがテレビからネットに移行していました。テレビの場合、他の様々な視聴者が見ているなかでの候補者の視覚的印象が重要になります。ところがネットは、「フィルターバブル」により、ユーザーと候補者の間にはるかに閉じた世界を形成しています。テレビの中の候補者は、公的な自分の印象を操作しようとしてきたのに対し、ネットの中の候補者は、より直接的に個人の感情や嗜好に訴え、見えない他者を排除するのです。しかも、ネット情報はあまりにも大量に、分散的に流れているので全体をコントロールすることは不可能です。結局、全体を秩序立てるのではなく、嘘八百、粗製乱造でもお構いなしに情報量を爆発的に増やした者が有利です。こうしてトランプは、ついにアメリカ大統領にまでのし上がりました。

確認しましょう。「フィルターバブル」という言葉は、ネットユーザーの検索履歴をもとに、そのユーザーが好ましく感じる情報ばかりを検索エンジンが提供するようになり、見たくない情報からは遮断され、「泡」（バブル）の中にいるかのような状態を指します。こうしてネット空間は自閉していくわけですが、厄介なのは、それぞれのバブルが自閉しているが故に、そこでの情報が内側で検証されることはないということです。先ほど論じたように、知的創造が可能なのは、異質で多様な視点が確保されているからです。ところが、ネット空間が自閉していくことで、こうした異質性、多様性は失われていきます。

そうなると、優秀な人たちだけのグループよりも、優秀な人とそうでもない人からなる雑多なグループのほうが優れていることの前提が成り立たなくなります。そもそもその集団に多様な視点が確保されているからこそ、難題に直面しても妙案が出てくるわけで、多様性を失って同質性の高い集団になってしまったら、その集団の知的創造性は失われます。二〇一六年のアメリカ大統領選の結果が示したように、多くの人がフィルターバブルの中に閉じこもることで、今や政治的な選択も大きく左右されています。もう、インターネットは必ずしも人を賢くしないのです。これは相当、深刻な問題です。

5 地図を創造する——図書館とグーグル

ここで再び、ネット検索の問題に少し戻ってみることにしましょう。先ほどお話ししたように、図書館で多数の本を渉猟しているとき、私たちは個々の本の内容だけでなく、様々に絡まりあう概念やテーマの広がりを構造的に把握しています。一般に大きな図書館には、膨大な数の本の並ぶ書棚があります。私もかつては、そうした図書館の書庫によくこもっていました。最初はどこにどの本があるのか、よくわかりません。もちろん、読みたい本の書名や著者名が決まっていれば、カウンターで注文すればいいのですが、調べたいテーマについて、どの本とどの本を読めばいいのかよくわからないという時は、ひとまず書棚で関係のありそうな書棚を漁(あさ)るという方法もあります。こちらの本、あちらの本と、ぱらぱらとページを繰っては、また別の本に手を伸ばす。そんなふうにしていると、やがて自分の中に、あの棚とあの棚にはこういう本があるといった見取り図ができてくるわけです。

それは、地図を頼りに、初めての土地を歩いて回るのと似ています。みなさんも経験があると思いますが、地図をぱっと開いても、最初、自分がどこにいるのか、どの方角へ進んだらいいのか、すぐにはわかりません。けれども、だんだん慣れてくると、迷うことも減って

いき、時には、わくわくするようなルートで目的地にたどり着くこともできるようになります。図書館もそれと同じです。しばらくうろうろしているうちに、自分の頭の中に地図ができてきます。それは、その時の自分のテーマに基づくもので、あの書棚にはこういう本があって、その向こう側の書棚には、こんな本があるといった具合に、自分がその図書館でたどっていった、自分だけのルートの地図が出来上がるわけです。そしてそうやって出来上がった自分なりの地図が、その先で知識を創造していくための基盤となります。

しかも、図書館の膨大な本は、無秩序に並べられているわけではありません。近代を通じて本を分類する方法が確立されていき、それに基づいて配架されています。つまり、普遍的な秩序に従って、どの本をどこに置くかが決められているのです。その一方で、それぞれの研究者がその普遍的な秩序の空間の中で、それぞれ自分なりのテーマに沿った見取り図が出来上がるわけです。図書館における普遍的な知の体系を、自分の目的意識に合わせてそれぞれがパーソナライズしていく。それが、知的創造を可能にしていると思います。

これに対し、グーグルをはじめとする検索システムは、この概念間や知識間の関係を、サイト相互のリンク数としてコンピュータのエンジンが計算することにより構造化します。もともとグーグル以前にも、インターネットが爆発的に普及するなかでいくつかの代表的な検索エンジンが登場していたのですが、それらの多くは検索ワードの内容に着目し、少しでもその意味に近い内容を含んだものを拾い上げていく方式をとっていました。これらに対してグーグルは、情報と情報を関連づけているリンクが鍵を握っていると考えて、検索エンジンの設計をしました。つまり、検索ワードに関連するサイトそれぞれに、どれだけリンクが張られているかを計算し、それが最も太いサイトが上位に表示されるような仕組みにしたわけです。検索ワードの内容によって近似性を計算していく他の検索エンジンとは大きく違う発想で、その結果、他と比較にならないほど正確な検索が可能になりました。

グーグル式の検索の第一段階は「クロール」と言って、たとえば「カルロス・ゴーン」という検索ワードを入れると、検索エンジン内のクローラというロボットが、世界中のウェブサイトを短時間で巡回し、どのリンクがどのように張られているかの情報を引っ張ってきます。次の「インデックス」という段階では、リンクが多く張られている太いところが上位に表示されていきます。そして最後の「クエリープロセッサ」によって、その結果がユーザーの使いやすい形に編集されていきます。原理的には、ここで行われていることは、すでに昔から図書館でやられてきたこととととても似ています。「クロール」は、図書館であればカード目録の検索ですし、「インデックス」であれば、そうやって調べた結果をリスト化することに相当します。その際、素晴らしい司書がその図書館にいれば、このテーマについて調べるのであれば、このあたりの本からまずは探してみてはどうでしょうと、丁寧にアドバイスをしてくれるでしょう。それが、「クエリープロセッサ」に似ているのです。

その際、図書館の知の体系であれば、目録が決定的に重要です。その目録は基本的にはカード化され、誰でも使えるものになっています。それは大別すると、件名目録、著者名目録、書名目録の三つがあって、このうち件名目録は、著者名や書名がわかっておらず、あるテーマについて幅広く検索したいときに使うものです。そこで、熟達した調査者であれば、まずあるテーマについて調べたい場合は件名目録から始めて適当な本をピックアップします。そして、その本の著者や書名から、同じ著者の本や似た題名の本にたどり着きます。また、目録が十分に詳しければ、ある件名で選ばれた本がどの本と関連しているかを調べることもできるはずです。もしも目録だけからでは難しければ、その本の文献リストを見れば、中身を理解していなくても、それがどんな本を引用しているかはすぐにわかります。

グーグルの検索エンジンがしていることも、データベースにある情報の内容を意味論的に分析しているわけではなく、どの項目がどの項目を引用しているのか、項目間の言及関係を調べるわけです。図書館ならば、重要な本であればあるほど、多くの本がその本からの引用をしています。この引用関係を調べていくと、その分野で何が重要な本であるかがわかります。どの本がどの本と結びついているのかを調べていけば、最初はどの本から出発したとしても、結局はその分野で最も重要な本にたどりつくことになるのです。しかも、そういった引用関係をたどっていけば、その分野における知識の構造も理解できるようになる。

グーグルは、この図書館での検索と類似のことをコンピュータで実現しました。つまり、グーグルのやり方は、巨大な図書館で熟達した調査者がしてきた本の検索と似たようなところがある。もともと人間がしていた知識の検索に近い作業を検索エンジンが代替しているのです。そのことにより、巨大なボリュームの知識の構造が自動的に計算可能になります。その結果、私たちは、自ら思考を働かせなくても、必要な果実が得られるようになった。つまりグーグルは、それ自体が巨大な機械化された電子図書館なのです。

この電子図書館は、インターネットを通じて地球大に広がっています。しかも、ここに収蔵されているのは本だけではありません。あらゆるタイプの情報がこの図書館には収蔵されているのです。世界中にはいろいろなサーバーやクラウドがありますが、それらのサーバーやクラウドのデータを集めれば、それら全体は本当に膨大なものとなります。アメリカのブルースター・ケールさんは、Internet ArchiveというＮＰＯを一九九六年に立ち上げて、世界中のウェブサイトのページを残してきました。その数は、二〇〇九年段階ですでに一五〇〇億ページにもなります。おそらく今は、その数倍に膨れ上がっているでしょう。他方、多くのネット企業では、たとえば私がネット上で何を閲覧し、どのような反応をしたかの記録も残っています。これらのすべての情報は、自動的に相互の連関を含んでいます。

このようにして、われわれが知らない間にネット上には巨大なアーカイブスが出来上がって、そこに蓄積された膨大な記録がビジネスの種になり得ることに多くのＩＴ企業が気づき始めたのが、二〇〇〇年代のことでした。その頃から、世界中の人々がネットを利用した際の記録のパーソナライゼーションが始まります。サイト間のリンク数を検索エンジンで計算し、サイト同士がどうリンクしているかを計算するだけでなく、ユーザーがどのサイトにアクセスし、ネット上でどう行動したのかも記録され、分析され始めたのです。

企業的な観点からは、検索記録をパーソナライズしていくことで、個々人がどのような関心や価値観を持っているのかがわかり、それをもとに将来、その人がどんな行動をするのかもある程度、予測できるようになります。そして、その情報自体や予測が巨大なビジネスになる。たとえばアマゾンは、これまでの私のネット上での購買履歴を計算して、しばしば私が書いた本を私に推薦してきます。つまり、この人のこういう購買傾向からすれば、私が関心を持ちそうな本はこのあたりだと見抜かれていて、当然ながらその中に私自身の本も含まれることになるわけです。ちなみに私は、自分の本をアマゾンで買ったことはありません。そこで行われていることを考えると、深刻な問題が含まれていることに気づきます。

6　記録知の収蔵庫としての図書館

ハロルド・イニスというカナダのメディア学者によれば、メディアには空間志向のメディアと時間志向のメディアという二つのタイプがあります。近代という時代は、空間志向のメディアを拡張し、時間志向のメディアを後退させてきました。空間志向のメディアは、基本的には軽くて遠くまで速く移動できます。時間志向のメディアは、逆に重くて、同じ場所で長く変化しません。古代における前者の代表はパピルスで、後者の代表は石碑でした。そして近代になると、前者の系列にはビラや新聞、雑誌、そして何よりも紙幣のような印刷物が加わります。他方、後者の役割は、単体のメディアというよりも、図書館や文書館、様々なアーカイブに引き継がれていきます。そして今日であれば、前者は電子メールが、後者はデジタルアーカイブがその系列に連なっていると言えるでしょう。

両者のうち、近現代を通じて支配的な影響力を強めていったのは、軽くて速い空間志向のメディアです。現代では、この傾向性のメディアは、大量の情報が瞬時に地球上を行き交うことを可能にし、グローバル市場を形成し、広範な領域で集合的な知の形成を可能にしています。つまり、古代から空間志向のメディアは市場との相性がよく、近現代においては資本主義の基盤をなす媒体となってきました。

明治の資本家渋沢栄一は、日本初の銀行である第一国立銀行（現みずほ銀行）とほぼ日本初の製紙会社である抄紙会社（現王子製紙）をまったく同時に設立します。一八六七年、徳川昭武に随行してパリ万博を視察するなかで、彼は資本主義を支えるのは貨幣経済であり、それには紙幣を大量に流通させるシステムの樹立が必須であること、それはまず洋紙の国産体制を整えることによって実現されることを理解したのです。そしてこの銀行と製紙会社のセットが、彼が明治大正を通じて数百に及ぶ企業を設立していく原点です。渋沢は、精密で均質的な印刷を可能にする洋紙こそが、資本主義の基盤をなすメディアであることを理解していたのです。

しかし、この空間志向のメディアでは、過去との対話が成立しません。それらが軽くて速いのは、過去のくびきを断ち切り、自由に浮動していくからです。パピルスから紙へ、紙から電子へと限りなく重みを失っていくなかで、空間志向のメディアは地球大に一挙に拡大する爆発的なパワーを手に入れます。その分、ある土地の中で長い時間をかけて培われてきた過去とのつながりは見失われるのです。ですからインターネットの時代、過去の知と格闘することにこだわる私たちの中のしぶとさが、徐々に失われてきているとしたら、それはこのようなメディア論的な条件によってもたらされている面もあります。新しい情報や認識は、かつてとは比べものにならない速さで伝わり、共有されていきますが、過去から現在までの持続性の感覚が徐々に失われていきます。現在がすべてとなっていくのです。

しかし、そもそも知的創造の大半は、先人たちの知的遺産との批判的な対話から生まれてくるものです。多くの人が常識だと思っていること、定説となっている知識を批判的に検証し、問題化していく。そうした知的格闘を通じて、既存の見方を乗りこえる新しい視点や、新しい事実に基づく仮説が生まれてくるわけです。まったく何もないところから、創造的で革新的な知が生み出されることは、皆無とは言わないまでも、ごく稀です。

ですからもう一方の、時間志向のメディアの重要性が、今、改めて強調されるべきなのです。その代表は、図書館です。図書館の歴史が古代アレクサンドリアまで遡れるのはもちろんですが、もう少し近くではルネッサンス期のイタリアで、印刷革命に先だって図書館設立の勃興期がありました。たとえば、イタリア北部チェゼーナの領主だったノヴェッロ・マラテスタが一四五二年に設立したマラテスティアーナ図書館は市民に公開されており、最初の公共図書館であったとされます。同じ頃、フィレンツェのメディチ家もラウレンツィアーナ図書館を設置していました。さらに一四七五年には、ローマ教皇シクストゥス四世がバチカン図書館を設立します。このバチカン図書館は今日に至るまで蔵書の拡大を続けています。これらの手稿本中心の図書館設立は一六世紀以降も続き、たとえばローマでは、フィリッポ・ネリの蔵書を基礎にしたヴァリチェリアーナ図書館、アウグスティノ修道会により市民に公開されていたアンジェーリカ図書館、ローマ教皇アレクサンデル七世がローマ大学に寄贈したアレッサンドリーナ図書館等々、多数の図書館が建ち並ぶようになりました。同じような図書館設立の動きは、ヴェネチアでもミラノでも起きており、印刷革命に先んじて、ヨーロッパでは活字本を前提にしない図書館設立のブームが始まっていたのです。

もちろん、図書館がさらに普及していった前提が、活字本の爆発的な流通であったのは言うまでもありません。活版印刷により、書物の絶対量が一六世紀から一七世紀にかけて劇的に増大しました。当然、上流階級や学者が買い求める本の冊数も劇的に増え、やがてそれらを保管し、継承していく施設が必要になってきます。このような中で、ヨーロッパの上流階級の知識層の間で、図書館は彼らが知的教養を維持していく上でなくてはならない施設となっていったのです。しかもこの時期、図書館設立の中心はイタリアからフランスやイギリスに広がっていき、さらには一般市民への公開化の動きも起きてきます。

ですから、近世ヨーロッパの図書館をめぐり最初に生じたのは、一部の富裕層や聖職者によるコレクションの寄贈でした。教会や大学、市政府などのコレクションを中心に図書館が設立されます。それらの中には、蔵書が公的な所有に移ることで、施設の公開化に進むところも出てきます。そして、やがてこれらの図書館の蔵書の点数が膨大になってくると、それらの蔵書をいかなる仕方で分類・整理し、検索可能なシステムを作り上げていくかが課題となります。同時に、本は多くの読者に読んでもらわなければ無意味なので、学生や市民への公開化の動きも比較的早い段階で始まり、広まっていきました。

市民レベルで、こうした公開化の動きを支えたのは読書クラブでした。啓蒙時代、市民層には特定のジャンルの本を読書するクラブ的な組織が広がり、その会員たちに図書館の利用が共有されていきます。今風にいえば、会員制のスポーツクラブのようなものです。この種の一八世紀のクラブ組織的な図書館で有名なのは、フィラデルフィアでベンジャミン・フランクリンが始めたフィラデルフィア図書館会社で、参加はもちろん有料でした。

他方、一八世紀には、図書館は蔵書の貸し出しまで始めるようになります。かつての図書館は、書庫の公開はしていても、蔵書が盗まれないように書棚に本をチェーンで縛りつけていることすらありました。また、入館しても自由に本を読めるわけではなく、館内を博物館のように観覧して回ることしかできない場合もありました。しかし一八世紀、図書館は次第に入館者が自由に本を読み、借り出すこともできる公共施設となっていったのです。

一九世紀には、すでに発達していた読書クラブと本の貸し出しの仕組みが、増大する小説や文学への大衆的な読書欲を背景に結合していきます。一八世紀までの図書館の蔵書の主流は、文学的なジャンルよりも、もう少し学術的な諸分野でした。これは、図書館の主要な来館者が一般大衆というよりも上層階級の知識層だったからでしょう。しかし一九世紀、ジャーナリズムや文学の世界を中心に大衆的な読者層が形成され、それまでとは比べものにならない規模の読者市場を前提に、新しいスタイルの図書館が求められていきます。そして、その答えが、それぞれの都市に建てられていく公共図書館でした。

重要なことは、私たちの身近にある公共図書館が、近代的な読書習慣がより広範な層に広がる過程で各地に形成されていった読書クラブを基盤としていたことです。つまり、図書館設立がいわば下からの文化運動でもあったことです。読書クラブでは購入図書の選定委員会が何らかの仕方で組織され、委員会のメンバーはより広い会員に満足してもらえる本の購入を進めていきます。結果的に、市や町の読書クラブやそれが発展した図書館には、多くの住民に読まれ続ける本が蓄積されていくことになりました。しかも、このような動きは一九世紀になると、上流階級やブルジョアジーの知識層を越えて広がっていきます。この動きが促進されたのは、産業革命が進展するなかで、労働者階級の学習と教養形成が、資本家にとっても喫緊の課題となっていったからでした。こうして一九世紀初頭、イギリスの工業都市で安価に利用できる労働者階級のための図書館が開設され始めます。

アメリカの場合、一九世紀半ばにマサチューセッツ州で図書館法が発布され、これを受けて一八五四年にボストン公共図書館が開館します。米国ではこれが最も古く、やがて一八九七年にはワシントンの議会図書館が、一九一二年にはニューヨーク公共図書館が開館します。これらの図書館は、知の公開性を通じてアメリカの民主主義の基盤をなしていきます。

アメリカにおける公共図書館とこの国の民主主義がどれほど深く結びついているかは、最近日本でも公開されて大変話題になったフレデリック・ワイズマン監督のドキュメンタリー映画『ニューヨーク公共図書館　エクス・リブリス』（二〇一七年）に遺憾なく示されています。長編の映画ですが、まったく飽きません。この映画を観ると、図書館が単なるハコモノの建物でもなければ、蔵書の集積体でもなく、知の専門家たるライブラリアンと多様な市民を結んでまさに民主主義を実現していく活動の総体であることが理解できます。このような公共図書館の現在形が出来上がったのは大恐慌期以降で、ニューディール政策の中で、アメリカの公共図書館は失業者や移民に対する再教育の基盤としての役割を強調し、ライブラリアンが専門職の地位を確立し、様々な養成課程も発達していくことになったのです。

7　知的運動としてのエンサイクロペディア

欧米社会で知的創造の基盤としての図書館が大いに発展を遂げていた一八、一九世紀、同時並行的に発展していたもう一つの知的複合メディアがありました。それが、エンサイクロペディア、すなわち百科事典です。百科事典は、近代を通じ、異質で多様な知識をつなぐ仕組みとして発達してきました。そのことについて最も自覚的で、挑戦的だったのは、いまだに一八世紀フランスの百科全書派の人々です。なかでも、その仕掛け役だったディドロの知的実践は、創造性に満ちたものでした。これについては、京都大学人文科学研究所の共同研究があります。その成果である桑原武夫編『フランス百科全書の研究』(岩波書店、一九六五年第四刷)で、桑原らは、彼らの活動について、「生産者としての編集者、執筆者、出版業者およびその下にある印刷職人、取締り者としての当局、反対者としてジェジュイットを中心とする反動派、シンパサイザーとしての自由主義的傾向の人々、読者としての民衆、すべてこれらのものの活動」のネットワークとしてあったと評価しています。つまり、立場の異なる人たちのネットワーキングの活動として、この百科全書は存在したというわけです。

彼らの活動の創造性は、執筆に関わった著者たちの人数と分野、職種の広がりに端的に示されています。まず、フランス百科全書の執筆者総数は一八四人でした。このうち、学者や文士、僧侶などの「机上派」は八〇人、他方で役人や医者、軍人、徴税請負人、技師などの「実行派」が八三人もいました。つまり、人類史に残る大百科事典を執筆した執筆者の半数以上は学者や文士ではなく、現場の専門家だったのです。

ディドロ以前の事典では、項目の大部分が僧侶や学者、つまり机上派によって書かれていたのに対し、ディドロの百科全書は文字通り領域横断的でした。そこではこの編纂者が「孤立したままでいる直接派知識人（実行派）のあいだを飛脚となってあちこち歩いて、原稿を依頼してまわり、さらに、原稿と原稿とのあいだに出てくるスキマをうずめる仕事をになった。このためには、普通に文士気質といわれる不規則性はぬぐいさられる必要が生じ、……ディドロのように執筆者と執筆者とのあいだをぬうて莫大な量の会話をする雑談的思想家が生まれた。また、編集の任にあたった人々が、執筆者たちとの連絡にあたって書いた莫大な手紙は、製品としての『百科全書』の一部ではないが、活動としての『百科全書』を考えるとき、その実に大きな部分を形成している」と桑原らは書いています（同書、二九頁）。

以上から、フランス百科全書の根本原理が見えてきます。それは、結果としての一群の出版物の姿をはるかに超えて、数百人の専門家を巻き込んだ知的運動でした。しかもこの運動では、執筆者全体の半数以上を実社会で活動する実践者が占め、同時に要となる部分は「机上派」が担って個々の実践的なフィールドをつないでいました。そのような知的ネットワークの中で、最終的に出版物に固定されるよりもはるかに莫大な会話と通信、討議が織りなされ、蓄積されていたのです。知的創造性の根本とは、要するにこれです。エンサイクロペディアとは、まさしくこのような膨大な会話や通信、討議、協力からなるネットワーク状の認識プロセスそのものでした。ディドロは単なる書物としての『百科全書』の編纂者だったのではなく、このような幅広い知識生産運動のオーガナイザーでした。

以上のような知的ネットワーキングとしての百科全書のありようは、「エンサイクロペディア」という概念の核心を捉えていました。「エンサイクロペディア」とは、西洋において中世以来、学問知の中心を担う学びのプロセスとして位置づけられてきました。文化史の大家のピーター・バークは、ギリシア語で「円環」を意味する「キュクロス」（κύκλος）と「学び」を意味する「パイデイア」（παιδεία）の合成語であったエンサイクロペディアは、もともと教育上の「学びの環」、つまり高等教育のカリキュラムを指していたと述べています。それがやがて、「高等教育の施設で学生を補助するために、あるいはそのような施設の代わりとなるような自習用のコースを提供するために、ある種の本が教育の体系と同じ仕方で組織されたので、この用語がその種の本についても当てはめられ」ていったのです。

こうして編集されるエンサイクロペディアは、「ある知識観を、さらにはある世界観を、表現あるいは具象化したもの」となります。すでに、すべての知を総合するメタファーとしては、中世以来の「知恵の樹」（Arbor Scientiae）が存在しましたが、「エンサイクロペディア」は、より近代的な知のシステムの媒介役となっていきます。バークの言葉を引用すると、「『樹』に代わって、一七世紀にはより抽象的な用語が、知識の組織構造を記述するのに使われるようになる。その用語とは『体系』（system）であった」。そして、このようにして「知恵の樹」から分岐して発展していった学問の三つの「体系」が、「カリキュラム」と「図書館」、そして「エンサイクロペディア」だったのです。

まず、「カリキュラム」とは、「伝統的な陸上競技からとられたメタファーである。走路と同じく、カリキュラムは生徒が沿って走らなければならない道筋のことである。カリキュラムは、『ディシプリン』の秩序あるいは体系」でした。そして、この体系性は、「図書館における書籍の配列の仕方によって、強められ」ます。図書館の書籍の配列秩序は、学問の分類体系を空間化することで、体系を支える役割を果たし続けてきたのです。さらにこの「体系」を支える「三脚台」の三番目の脚が、エンサイクロペディアでした。これらの三脚台は、互いに結びつきながら、ある「カテゴリーが自然なものに見えるように、そして他のカテゴリーを不自然な、それどころか不合理なものに見えるようにすることで、文化的な再生産を支えていた」のです（バーク『知識の社会史』新曜社、二〇〇四年、一三三−一四七頁）。

8　百学連環・研究会・出版ネットワーク

ところで、桑原武夫ら京大人文科学研究所の百科全書研究は、それ以前、あるいは以後のいかなる百科全書研究にも増して、フランス百科全書の集団的運動としての側面を強調しました。一九五四年という刊行時の状況からするならば、この桑原らの関心は切実なものでした。桑原は、「日本では明治以来、さらに敗戦後においてすら、進歩的ないし啓蒙的な思想家たちが、ややともすれば小集団に分裂し、当面の敵と戦うかわりに相互間で本気にかみつき合う、という悲しむべき事態を示してきたことを思うとき、十八世紀フランスの進歩的思想家たちが、さまざまの色彩のイデオロギーに立ちながらも、およそ三十年の長きにわたって協調を保ちえた事実は、私たちを大きな驚きと深い感嘆にさそわずにはおかない」と告白しています。自由民権であれ、大正デモクラシーであれ、昭和のマルクス主義であれ、戦後の民主主義的潮流であれ、日本における思想運動は、フランス百科全書が示したような幅広い横断性と持続性を獲得できていないという桑原の批判です。

しかし、同じ百科全書研究に加わっていた鶴見俊輔からするならば、この総括には異論があったかもしれません。鶴見は当時、戦後日本で最も重要な横断的思想運動であった思想の科学研究会のリーダーであり、まさにこの『思想の科学』は、一八世紀の百科全書にも通じる横断性と日常意識の内からの創造的実践に満ちていたからです。

しかも、近代日本における民間レベルからの人文知の系譜を振り返るならば、大正時代に吉野作造のバックアップを受け、石井研堂(けんどう)や宮武外骨(みやたけがいこつ)が活躍した明治文化研究会、あるいは一九三〇年代における長谷川如是閑(にょぜかん)から三木清、戸坂潤、さらには丸山眞男までを巻き込んだ唯物論研究会など、数々の知的ネットワークが光彩を放ってきたことに気づきます。たしかにこれらの運動は、フランス百科全書派のような長期の持続性は持ち得なかったかもしれません。しかし、たとえば『思想の科学』が、六〇年代半ばまで戦後的批判知性の基盤をなし得たことを考えれば、日本における知的横断の歴史は再評価に値します。

しかも、実際には桑原らの共同研究そのものが、自分たちの活動をフランス百科全書の運動になぞらえて横断的な想像力の可能性を実験してみるものでした。そのために、「各部門は数名の研究者によって分担されるが、その研究は全員出席の研究会で発表され、討論の対象とされる。論文は、部門所属の各人が提出する材料または草稿にもとづいて、グループ中の一人が執筆するが、それはまずグループ内で修正された上、あらかじめ全員に廻覧されてから、検討会に提出され、その討論の結果を摂取したのち初めて清書される」というスタイルをとっていました。この文面は、桑原がまるで今日の電子メールやメーリングリストが発達した環境を予感していたかのようです。そのような技術的条件がない状況で、桑原らは、可能な限り緊密な知識生産の集団的ネットワークを構築しようとしていたのです。

注目しておきたいのは、日本ではこのような知的創造の集団性が、「百科全書」というよりむしろ「研究会」として認識されてきたことです。今、例に挙げた明治文化研究会、唯物論研究会、思想の科学研究会などを代表格として、近代日本では無数の「研究会」という名前の知的ネットワークが形成されてきましたし、今も運営されています。これらは単に英語でいう「スタディグループ」ではありません。むしろ研究会とは、ある志を共有するネットワークであり、ボランタリーな知的運動なのです。日本における「研究会」という言葉の曖昧な拡張は、それ自体、非常に興味深い現象ですが、そのような言葉に仮託して横断的に知的なネットワークを広げていこうとする潜勢力が、日本社会の基層にあったのだと思います。それは、かつては「連」と呼ばれていたかもしれませんし、社会の上層では「茶会」のような形式をとったかもしれません。近代日本における知的横断の仕組みとしての「研究会」を、そうした歴史的広がりの中で再検証していく必要があると思います。

ちなみに今、例に挙げた近代日本の代表的な研究会のうち、明治文化研究会は、大正から昭和初期にかけて、吉野作造の下で、石井研堂、尾佐竹猛、小野秀雄、宮武外骨らが活動した研究会で、明治以来の社会と文化の変容を集団的に研究した知的ネットワークです。その成果として、一九二〇年代に二四巻からなる『明治文化全集』（日本評論社）を刊行しています。また、唯物論研究会は、戸坂潤をはじめとする一九三〇年代初頭のマルクス主義、批判的知識人のネットワークで、同時代の同様の知識人ネットワークとしては、京都を拠点とした中井正一らの『世界文化』グループなどもありました。そして三番目の思想の科学研究会は、一九四六年から、武田清子、都留重人、鶴見和子、鶴見俊輔、丸山眞男、南博らによって組織された研究ネットワークで、人びとの日常的実践のレベルから、新しい思想的可能性を考え、『転向』をはじめとする共同研究を実現していきました。

以上の例からわかるのは、近代日本を代表する研究会が、いずれも出版と深く結びついてきたことです。他方、明治以降の日本における百科事典編纂にも、このような研究会的な知的創造性の運動が、幅広く息づいていたことを確認できます。もともと明治の初め、「エンサイクロペディア」を最初に日本語に訳したのは西周(にしあまね)です。その訳語とは、「百学連環」というものでした。彼は、その著『百学連環』の冒頭、この語は「童子を輪の中に入れて教育なすとの意なり。故に今之を訳して百学連環と額す」と語り始めています。西の名は、西欧伝来の諸々の学術概念の基礎を明治期に築いた人物として知られています。今日、私たちが使っている学問的概念には、西の訳語に由来しているものがかなりあります。その西は、もちろん西洋で「百般の学科を挙て記載せる」一群の書物としての多くのエンサイクロペディアが刊行されていることを知っていました。しかし彼は、この語の核心には「学びの円環」があることを感知し、「百学連環」という訳語を考え出したのです。

この場合、「環」とともに重要なのは、「学」の語義です。西は、「学の字の性質は元来動詞にして、道を学ふ、或は文を学ふとか、皆な動詞の文字にして、名詞に用ゆること少なし。実名詞には多く道の字を用ゆるなり」と述べていました。「文学」「哲学」「政治学」「経営学」「工学」などが一般化している今日では、「学」は「道」よりも制度化の進んだ知の体系と考えられています（実際、「文道」「哲道」などとは誰も言わないし、「政治道」「経営道」などと言うと、学問とは縁のない業界での処世術といったニュアンスが伴います）。したがって、西の言うような明治初期における「学」と「道」の対比を想像することは難しいのですが、当時は「学」は、より制度化が進んで名詞形と用いられる「道」とは異なり、もっぱら動詞形、つまり教師の生徒に対する実践のプロセスとして理解されていたのです。

したがって、当時の「百学連環」、つまりエンサイクロペディアは、日本においてもきわめて動的でダイナミックな学びのプロセスというニュアンスを内包していました。そして実際、明治以降の百科事典編纂は、そのような領域横断的なダイナミズムを内包させ続けたのです。明治以降、民間からの日本初の近代的百科事典は、一八九〇年から九一年にかけて田口卯吉（うきち）が編集した『日本社会事彙』（経済雑誌社）でした。田口は他にも『大日本人名辞書』、『群書類従』や『国史大系』の編纂などに関与していましたから、西と共に明治の主要なエンサイクロペディストであったとも言えます。やがて一九〇一年から一二年にかけて、同文館から『大日本百科辞書』が刊行されます。同文館はこの「辞典」を、まずは『商業大辞書』や『法律大辞書』といった分野別にして刊行し、最後にそれらを『大日本百科辞書』に合体させようとしました。これは大事業となり、同文館の辞典は明治日本の大事典の代表格となるのですが、同社自体は一九一二年に倒産してしまいます。

明治末から大正にかけて、同文館の事業を引き継いだのは三省堂の『日本百科大辞典』です。総裁に大隈重信を戴き、文字通り国家的な事業として一九〇八年に刊行が始まるのですが、あまりの規模に三省堂は一二年に経営破綻に陥ってしまいます。しかし、すでに約六〇〇名の執筆者を動員する国家的な事業となっていた百科事典出版を途中で放棄するわけにもいかず、三省堂救済の措置がとられて事典は一九年に全一〇巻が完結します。

こうした一九〇〇年代から一〇年代にかけての第一波の百科事典出版に続き、さらに大規模な事典出版が事業化されていくのは三〇年代です。老舗の出版社であった冨山房は、一九〇六年に出した『日本家庭百科事彙』を発展させ、三四年から三七年にかけて全一五巻の『国民百科辞典』を刊行します。執筆者は約一〇〇〇名といわれ、すでに三省堂の大辞典の規模を凌駕していました。ところが同じ頃、平凡社が、三一年から全二八巻、執筆者は二〇〇〇名に及ぶ空前の大事典の刊行を開始し、冨山房の事業を圧倒していくのです。

この三〇年代の平凡社の『大百科事典』は、それまでの日本の百科辞典編纂のスケールを大きく塗り替えてしまいました。実際、エンサイクロペディアに「辞典」ではなく「事典」という文字が使われるようになるのは、この平凡社の事典からです。さらに戦後になると、平凡社は林達夫を編集長にして、全三一巻の『世界大百科事典』を一九五五年から五九年にかけて刊行します。その執筆者は四〇〇〇〇人にも及びましたが、これは経営的にも成功し、七〇年代まで数次にわたって改訂版が継続的に刊行されていきます。平凡社では、この事業の延長線上で七〇年代、加藤周一を編集長として、編集委員会の数が約一二〇、執筆者七〇〇〇名以上という、本体の経営基盤をのみ込むほどの大編集部が組織され、日本の百科事典史の金字塔となる全三五巻の『世界大百科事典』がやがて出版されていくのです。

このような日本の百科事典史を振り返るとき、しばしば出版社本体の経営を危うくしてまでも進められた一連の事業が、その熱意と規模、編纂に関わる知識人の広がりにおいて、欧米のエンサイクロペディア事業に十分に比肩しうるものであったことがわかります。そしてまた、明治文化研究会や思想の科学研究会をはじめとして、国家や大学の権威に寄りかかるのではない知の連環が、近代日本にも脈々と息づいてきたことも疑いを入れません。さらにそれを可能にしていたのが、大学の教育研究の仕組みでもなければアカデミーのような特権的集団でもなく、教養書を中核とする出版産業であったことが、とりわけ近代日本においては重要なのです。桑原武夫の西洋中心主義が過ぎるフランス百科全書へのオマージュを突き破って、われわれはむしろ近代日本、そして近代アジアにおける百学連環的なネットワークと百科全書プロジェクトの水脈をたどり直してみることができるでしょう。

9　ネット時代の集合知と記録知

さて、以上で概観してきた図書館とエンサイクロペディアは、近代における知的創造を支えてきた二つの基幹的な仕組みでした。しかし、この二つの働き方は異なります。この章の半ばで紹介したイニスの区分によれば、図書館は時間志向のメディア、つまり過去からの知を蓄積し、再利用可能にしていく仕組みです。ここでは、歴史を越えて循環するメディアに集積していったこうした知を「記録知」と呼んでおきたいと思います。他方、エンサイクロペディアは異なる領域を横に越境していくメディアで、過去からの知の継承よりも、同時代の様々な立場の認識をつないでいくところに創造性の源泉があります。ここでは、このような領域横断的なメディアで流通する知を「集合知」と呼んでおきたいと思います。前者の記録知の媒体には、図書館だけでなく、文書館や博物館、デジタルアーカイブなどが含まれます。他方、後者の集合知には、古典的なエンサイクロペディアだけでなく、今日のウィキペディアはもちろん、無数のソーシャル・メディアが含まれてきます。

この章の結論として主張したい最も重要な点は、知的創造にはこの二つの次元、つまり記録知と集合知の協働が決定的に重要だということです。そして実際、今日のようなネット時代に至る以前から、近代の記録知には集合知的な次元が含まれ、集合知には記録知的な次元が含まれていました。すでにお話ししたように、近代の公共図書館を発展させてきた強力なモメントは、市民の間での読書クラブの運動です。すでに百科全書派が活躍した啓蒙時代から、読書するクラブ的な組織が市民層に広がり、その会員たちが図書館の熱心な利用者となっていきました。この横断的なネットワーク組織が、一九世紀にはより広範な市民層も巻き込んでいき、文学への大衆的な読書欲を高めていったのです。各地に設立されていった公共図書館は、そのような草の根的な読書クラブの活動の原因というよりも結果でした。つまり記録知は、集合知の活動を基盤にしてこそ豊かに発展していくことができたのです。

他方、エンサイクロペディアのような集合知の活動も、近代を通じて記録知と一体をなしてきました。すでに論じたように、エンサイクロペディアは、数十冊の出版された「百科事典」である以前に、異なる立場、認識をネットワーキングしていく知的運動であったわけですが、しかしそれでも、そのような知的運動の成果が「百科事典」という形で出版されていくことは決定的に重要でした。日本では「研究会」と総称される活動が知的ネットワーキングの重要な部分を担ってきましたが、その代表格たる明治文化研究会も、唯物論研究会も、思想の科学研究会も、基盤を支えていたのは出版産業のシステムでした。

私事になりますが、私自身もまだ大学院生だった頃、雑誌『思想』の編集長をしていた合(あい)

庭惇さんという一九七〇年代の岩波書店を代表する編集者だった方に誘っていただき、同書店で開かれていた錚々たる面々が集う研究会の末席に参加させていただいていました。それは出版社の研究会でありながら、出版そのもの以上に批判的な知の交歓が目的で、ひょっとすると出版は集うためのタテマエという面もなきにしもあらずの会でした。それでも、出版社が媒介することは、その集まりには必要不可欠でした。日本の出版社は、大学も、学会も成せない集合知と記録知を結ぶ役割を、長きにわたって果たしてきたのです。

つまり、グーテンベルクの印刷革命以降、出版社と図書館、エンサイクロペディアや研究会というように、数百年の歳月をかけて様々な仕方で集合知と記録知を協働させる仕組みが発達してきたのです。そしてこれらが、近代社会における知的創造の基盤をなしてきました。あえて言えば、日本の場合、近代を通じて知的創造を支えたのは、大学という制度的な高等教育機関ではありませんでした。近代の知的創造は、とりわけ日本では、大学よりも出版に支えられてきました。福沢諭吉が慶應義塾の創立者であると同時に出版人でも新聞人でもあったのは、そもそも彼が『学問のすゝめ』においてはっきり表明していたように、官立の大学にとどまらない地平に近代の知的創造の条件を見出していたからです。

そして福沢に続く多くの近代日本の知識人たちは、夏目漱石から吉野作造、三木清、丸山眞男に至るまで、官立の大学に足場を置いても、その知的創造性の基盤が大学よりも出版界にある場合が圧倒的でした。東京帝国大学をはじめとする官立大学は、そのような知的創造性の基盤の役割は果たせず、むしろ仮想敵の役割を果たしてきたかのようです。

　ところが、およそ五〇〇年にわたって続いた印刷革命の時代が終わり、二一世紀初頭、人類はデジタル革命の奔流に巻き込まれています。この過程で知的創造に生じている深刻な危機は、この二つの知、記録知と集合知の協働の環が失われつつあることです。

　一方で、記録知についていえば、デジタル的に記録される情報の総量が爆発的に増えたことにより、今日の記録知は、私たちの人間的な想像力や思考力をはるかに超えてグローバルなコンピュータ・ネットワーク上に、あるいはＧＡＦＡ企業や米国政府、中国政府の超巨大サーバーに蓄積されています。すでに述べたように、それらの情報には私たちが意識的に発言したり、書き残したりした記録だけでなく、無意識的な行動履歴や生体に関する情報、偽造された情報も含まれています。それらはもはや、私たち自身が構造化できる水準を超えているという意味では人間的知識とは言えませんが、コンピュータが学習し、構造化しているという意味で、やはり単なる情報の集積というよりも体系化された知識なのです。今日、そうした「非人間的」なデジタル知識が爆発的に増えており、それらは私たちの「人間的」対話によって形作られる集合知の次元をはるかに超えてしまっているのです。

　他方、ネット社会化の中で、集合知の次元でも記録知との結びつきが失われつつあります。

すでに述べてきたように、様々なソーシャル・メディアの発達により、誰しもが発信者となることで私たちの集合知も爆発的に拡張し、その流通の速度も速まりました。私たちは必要な情報にアクセスしようと思ったら、図書館に行って関連のありそうな本を読んだりしなくても、グーグル検索で一瞬のうちに情報を得ることができますし、背景的な知識もウィキペディアですぐにある程度は得ることができます。発信にしても、フェイスブックやツイッターで個人がどんどん情報発信していくことは容易ですから、本にして出版することの必要性は低下しています。つまるところ、蓄積型の記録知の回路を経なくても、情報はどんどん入手できるし、発信もでき、それらはグローバルに結びついていくのです。

したがって、かつてのように書店の書棚で本を眺めまわし、面白そうな本を手に取って思わず買ってしまうことや、図書館で長い時間を過ごすといった経験は、若い学生層では減っています。必要な本だけをアマゾンで注文し、参考文献は、PDFファイルで共有するかネット情報で済ましてしまう人が増えました。

これは、大学で営まれてきた知的創造に重大な変化をもたらします。大学での学びも、基本的には集合知と記録知の協働という性格を持ちます。ただそれは完全にオープンなわけではなく、選ばれた学生と教師の間での閉じられた、しかしより深い学びである点において特殊なわけです。そうした限られた人々は、教師と学生の討論の場である教室と図書館、あるいは実験室や調査のフィールドを往還する仕方で学びを深めてきました。このうち教室での授業は、知的な会話を中核とする集合知の次元に属します。教室以外でも、大学には様々なワークショップや研究会、教師と学生の間のチュータリング（研究指導）、学会や国際会議での発表といった様々なタイプの集合知の営みが集中しています。

他方、学術的な専門書や研究資料を集積した大学図書館は、大学の知的創造性にとって根幹的な施設です。人文社会系はもちろん、理系においても、大学図書館の利用なしに優れた研究成果が出ることは稀でしょう。つまり大学での知的創造は、キャンパス内の集合知の場と記録知の場を往還する仕方で営まれてきたし、それが創造の根本条件だったのです。

しかし、ネット社会が拡大していくと、情報の量的拡大と高速化、そしてアクセシビリティが容易になるなかで、このような複雑な往還が効率の悪いものとして疎んじられていきます。ネット検索があれば、わざわざ図書館まで行かなくてもいいし、e-learningの仕組みがあれば、わざわざ教室まで行かなくてもいいのです。図書館で本を探し回れば、どうしても実はあまり関係のない本まで読んでしまい、教室での討論に参加すれば、自分のテーマとは関係のない発表の討論にも参加します。ネット世代にはおそらく、それらは不効率なことと感じられてしまうのでしょう。むしろ必要な情報だけをネット上で迅速に入手し、自分のテーマと関係のあるサイトで知的パラダイムを共有し、同様のテーマを扱う人たちとデジタルでやりとりしていったほうが効率的と思われてしまうかもしれません。

ここに大きな落し穴があります。フィルターバブルが生じるのは、世論やサブカルチャーの世界だけではありません。学問的な知識創造の世界でも、同じことが生じ得るのです。

たしかにネット社会化は、集合知の次元で、これまで不可能だった知的創造も可能にしています。社会運動の面でも、「アラブの春」から香港の「雨傘運動」や台湾の「ひまわり運動」、それに米国の「#Me Too」や「#Never Again」といったムーブメントまで、ネットに媒介された集合知を抜きにしては生じ得なかったでしょう。インターネットは、かつてユルゲン・ハーバーマスが論じた文芸的公共圏と政治的公共圏の関係を、電子情報的かつグローバルに拡張させてもいます。しかし、それらは記録知との協働的な結びつきを失い、その場、その場で爆発的に盛り上がる（炎上する）集合知や集合行動である限りにおいて、結果的にフィルターバブルや排他的ポピュリズムを生んでいく温床にもなるのです。

そしてその一方で、グローバル資本主義の中で巨大な記録知が、高度なＡＩ技術に媒介された監視ネットワークとして私たちの社会の内部に広がりつつあります。状況は深刻であり、巨大で高速です。新しいデジタル技術環境の中で、私たちは知的創造の基盤たる開かれた集合知と記録知の協働をいかにして奪還していくことができるでしょうか？

第4章

AI社会と知的創造の人間学

1　第五世代コンピュータからＡＩブームへ

さて、いよいよ第４章です。これまで私は、第１章では自分自身の経験を、第２章では学生のみなさんが知的創造に向かう際の方法論を、第３章では図書館やネット検索からエンサイクロペディアや研究会までの知的創造の社会的基盤を論じてきました。いわば、第１章は一人称の語り、第２章は二人称の語り、第３章は三人称の語りであったとも言えるでしょう。しかし、これまでの議論では一貫して、知的創造の主体は人間である、個人であれ集団であれ、知的創造という行為は人間に固有の行為であるという認識を前提としてきました。ところが今や、この前提が揺らぎつつあるのです。知的創造の主体としての人間には、強力なライバルが出現しています。少なくとも知的創造の「知的」という部分については、そのライバルはすでに人間を凌駕しているという主張すら出てきています。

ライバルとは、もちろんＡＩ（人工知能）のことです。「ＡＩ」が日本で大ブームの主役となるのは二〇一五年頃からで、先行する「ビッグデータ」のブームを引き継いでのことでした。とはいえ、それ以前にも、一九八〇年代には「第五世代コンピュータ」の大規模プロジェクトが、巨額の国家予算を費やして実施されています。八〇年代は、日本のコンピュータ産業がまだ世界の最先端を走っていた時代です。しかし、通産省主導で進められたこの一大国家事業は、産業的にはほとんどプラスをもたらさないまま失敗に終わりました。

問題は、その後です。東大入試に挑戦するＡＩ「東ロボくん」で有名な新井紀子さんが『ＡＩ vs.教科書が読めない子どもたち』（東洋経済新報社、二〇一八年）で的確に指摘したように、日本ではこの大失敗がいったいどうして起きたのか、検証する作業はなされなかったのです。日中戦争の時代から「平成時代」まで、日本社会は自らの失敗を正視することを好みません。その結果、私も『平成時代』で論じましたが、この国の人々は、「失敗から学ぶ」ことがほとんどできないまま、新しいブームに飛びつき続けるのです。

他方、アメリカのＡＩ開発は、この分野で八〇年代には先行してすらいた日本の大失敗から逆に多くを学び、「論理的推論」を基礎とするのではなく、「統計」を基礎とする方法に舵を切ります。そして、インターネットの爆発的普及によって莫大なデータが自動的に手に入るようになった状況をフルに利用し、開発の突破口を開いていったのです。

こうして米国では、一九九七年にＩＢＭが開発したＡＩ「ディープ・ブルー」がチェスの世界王者を、二〇一六年にはグーグルが開発した「アルファ碁」が囲碁の世界王者を破っていきます。ボードゲームの世界では最も複雑とされている囲碁の世界でもＡＩが人間を破ったことで、この種のゲームの世界におけるＡＩ優位は揺るぎないものとなりました。さらに米国では、二〇一一年、ＩＢＭが開発した「ワトソン」が人気クイズ番組に出演、勝ち残ってきた対戦者を破って賞金を獲得します。これらのいずれのケースも、それまでの対戦について提供された膨大なデータが、ＡＩにとっての重要な手掛かりとなりました。

こうした人目を集める動きと並行して、二〇〇〇年代から二〇一〇年代にかけて、ＡＩの実用化がＧＡＦＡ企業に主導されて一気に進みました。二〇一〇年代半ば、ＡＩ開発は北米を中心とする動きが先行し、中国がこれに急追しています。日本は九〇年代にすっかり水を開けられましたが、今、後追いでブームが起きているのです。かつての日本の「第五世代コンピュータ」が、官主導でトップダウン、ナショナルという特徴を持っていたのに対し、今日の「ＡＩ」は、民主導でボトムアップ、グローバルという特徴を持っています。

そして、この拡張をもたらしたのは、一方ではコンピュータのハードウェア面での劇的な情報処理能力の向上とインターネットを通じたデータ蓄積の爆発的な拡大でしたが、他方ではパターン認識と機械学習、とりわけディープラーニングの技術革新でした。

2　言語能力からパターン認識への方針転換

しかし、そこで問題なのは、ＡＩが環境世界をどう認識しているのかという点です。人間の場合、その世界認識の根本をなすのはイメージと言語です。人間は、周囲の世界を一方ではイメージの集合として捉え、他方では言語的に認識していきます。脳科学的には、前者は右脳、後者は左脳の仕事とされています。もっとも言語活動の中にも言葉の音色や表意文字であればその形のようなイメージ的な部分がありますし、イメージと言っても、絵画には文法があり、イメージはしばしば記号や象徴として構造化されていますから、両者の境界線上には中間領域があると思います。しかしそれでも、人間の高度な論理的思考は主に言語に基づくわけで、その言語の構造がどうなっているかがずっと問われてきました。

一般には、言語の構造は意味論と統辞論、語用論の三つの次元で探究されてきました。意味論的な分析は、言葉とその意味の関係を扱い、昔から古典とされてきたのはフェルディナン・ド・ソシュールの一般言語学で、ラングとパロール、シニフィアンとシニフィエなどというのは、この議論の初歩です。他方、統辞論は、語と語の間の秩序を扱います。ノーム・チョムスキーの生成文法は古典的な理論ですが、日本では時枝誠記(もとき)の言語過程説のような先駆的業績もあります。そして語用論は、言語をそれが使われる社会的文脈の中で理解するもので、ジョン・L・オースティンの言語行為論はその代表と言えるでしょう。

いずれにせよ、二〇世紀を通じて言語の分析は人文社会科学の本流でしたから、理論の厚みもすさまじく、これらすべてが人間の言語活動とは何かという問いに向かってきたのだと思います。そんなわけで、コンピュータのハードウェアが発達するなかで、「思考するコンピュータ」を目指した人々が、コンピュータもまた言語を駆使できるようになるにはどうしたらいいかを考え、「言語能力のあるＡＩ」を作ろうとしたのは自然なことでした。

しかし、すでにお話ししたように、コンピュータに言語を使いこなさせようとした試みは失敗します。どれほど高度なＡＩも、実は人間のように言葉を理解し、使いこなせるようになってはいないし、今後もそうした見込みはあまりないのです。

そして、日本の第五世代コンピュータの試みが失敗した後、ＩＢＭやグーグルが向かったのは、それとはまったく違う方向、つまりコンピュータに人間の言語活動に似た仕組みを埋め込むのではなく、人間の社会活動の中で生み出される膨大なデータを与え、その中の様々なパターンを統計的に認識させていく方向でした。つまり、ここでは二〇世紀の言語諸科学の成果は、ほとんど重要ではありません。言語学よりも脳科学、あるいは生物学的なプロセスとして認識を捉えます。それまでのコンピュータが文化に近づこうとしていたのに対し、現代のＡＩは自然に近づこうとしていると言ったら言い過ぎでしょうか。つまり、イメージか言語かという対立でいえば、圧倒的にイメージの側の要素の集合を、文法だとか意味だとかとは関係なく、ただ精密に画像認識し、そこにある要素を抽出し、大量のデータを基礎にその共起の度合いや類似と差異を統計的に識別していくことに注力するのです。

二一世紀のＡＩが関心を集中させるのは、認識行為の言語論的なロジックではなく、表層の諸要素の統計的な分布です。それはまず、インターネットの浸透によって、それ以前とは比較にならない超大量のデータ、つまりビッグデータが手に入るようになったことを前提としています。データがＡＩ社会の石油だと言われるのは、それがＡＩの能力を引き上げていくには不可欠の基盤だからです。同時に高度な画像認識技術もＡＩ開発の中核をなしています。なぜならば、得られた視覚情報から、特定の条件を備えた要素を切り出すことが、この技術の実用化、さらにはそこから巨大な利益を生むことにおいてとても重要だからです。

こうして膨大なデータが得られ、そこから諸要素が切り出されると、その諸要素が何であろうが、類似や差異と識別し、似たものの分布を統計的に処理していくプロセスが高速で進むことになるのです。ＡＩは、言語をモデルにした論理的推論から統計的分布に基づく帰納に軸足を移したことで大発展の契機をつかみました。

実際、二〇一〇年代のＡＩの発展には目覚ましいものがありました。膨大なデータをパターン認識によって精密に識別する能力は劇的に向上し、その成果を私たちは、たとえばグーグル翻訳の精度向上で目の当たりにしています。この大発展は、これまで述べた条件に加え、ディープラーニング（深層学習）などの機械学習により可能になったものでした。そのポイントは、人間が外から教えることが最小限でも、膨大なデータさえあればＡＩが自らフィードバック的に学習を重ね、どんどん「賢く」なっていく点にあります。ＡＩのそうした自学自習能力は、残念ながら昨今の大学生のそれをはるかに凌いでいます。

ちょっと脱線しますが、二〇〇〇年代半ば、東京大学では日本のＡＩ開発を先取りする全学プロジェクトも進んでいました。小宮山宏総長（当時）のかけ声で学内に「知の構造化センター」が設置され、大学の教育関連データや病院の医療データ、人文社会科学分野の論文のデータまでが集められ、ＡＩ的な手法による分析と可視化を進めていたのです。

私もこの文系の論文の構造化プロジェクトにかかわり、岩波書店が一九二〇年代から一世紀近くをかけて出してきた『思想』に収録されたすべての論文データ（約一六万ページ、論文本数約八六〇〇本）を集め、このデータから学術概念を自動抽出し、そこに登場する概念間の共起分析から、二〇世紀の哲学的な知の世界の構造を明らかにしようとしたことがあります。コンピュータは、もちろん二〇世紀思想史について何も知らないのですが、それでも用語の共起の仕方からマルクス主義、実証主義、ナショナリズムなどの主だった思想潮流をきれいに識別しました。それを発展させれば、たとえば三木清ならこの問題をどう考えるか、戸坂潤ならどうか、清水幾太郎ならどうかということが、言語について何も知らないＡＩが正確に可視化してしまうと思いました。残念ながら、このセンターは学内の全般的な支持が得られずに存続できなくなるのですが（もったいないことです）、たとえばＡＩがブームになってから専門家として大変有名になられた松尾豊さんもこのセンターの出身です。

3　シンギュラリティ（技術的特異点）は来るか？

二〇一〇年代、ＡＩは技術面でも実用面でも大発展しています。すでにいくつかの分野では、ＡＩの知的能力は、人間のそれを超えてもいるようです。ですから、この勢いでいけば、やがてＡＩの知能は人間総体の知能を超え、地球を支配していくほどになると考えるのも不思議ではありません。ＳＦには、もともとそうした物語が多々ありましたが、今やそのＳＦが現実となる時が迫りつつあるのです。このようにＡＩがやがて人間総体の知能をはるかに超える知能を獲得し、人類は技術的特異点（シンギュラリティ）に達するという主張をしてきた代表的論者に、未来学者レイ・カーツワイルがいます。

技術的特異点とは、コンピュータの知能が圧倒的に優位な状況下で、人間の知能がそれら非生物的知能と融合し、何兆倍にも拡大する瞬間だそうです。カーツワイルによれば、特異点においては人間の知性とコンピュータの知性の境界線は解消されます。すでに一九八〇年代から、二一世紀前半には、人工知能が人間の知能を大幅に超えていくことが予測されていました。少なくとも知能のある側面については、すでにこの予測は現実のものとなっているわけですが、特異点論者たちは、そのような機械の優位が、計算だとか比較だとか予測だとか特定の知的操作だけでなく、思考の全分野にわたって生じると考えるのです。

カーツワイルは『ポスト・ヒューマン誕生』（NHK出版、二〇〇七年）で、「これから数十年のうちに、情報テクノロジーが、人間の知識や技量を全て包含し、ついには、人間の脳に備わった、パターン認識力や、問題解決能力や、感情や道徳に関わる知能すらも取り込むようになる」と主張しています。AIは、単に論理的思考や予測能力で人間の知性を凌駕するだけでなく、課題解決力や倫理的判断でも人間以上の存在になるというのです。そうなれば、AIの知的創造力も人間のそれをはるかに超えていくことでしょう。

このように圧倒的な知能を備えつつあるAIに対し、人間の知能は限界だらけです。たしかに「人間の知能は、ときには高い創造力や表現力を発揮できることもあるが、その思考するところのほとんどは、たんなる模倣にすぎなかったり、たいして重要でなかったり、制約があったりする」と彼は言います。実際、コンピュータに比べ、人間の思考はとても遅いのです。脳の「シナプスがリセットされニューロンが安定するまでにかかる時間はとても長く、パターン認識の判断を下すにあたって利用できるニューロンの発火サイクルの数はきわめて少ない」ので、コンピュータのように迅速に思考を反芻させていくことができません。ある考えを精緻化していくために、人間が数百から数千回、思考を反芻させる間に、コンピュータは数十億回の反芻ができるとされます。まるで火縄銃と機関銃ほどの違いです。

　ＡＩはスピードで脳に対して圧倒的に優位なだけでなく、多くの思考のプロセスでも脳を代替できます。たとえば、私たちの脳は、複数の事柄を同時並行的に考え、全体を総合していくことができます。しかし近年では、この種の超並列処理は、高度化したコンピュータでもできるようになっています。また、私たちの脳内では、常に新たなシナプスやネットワークが形成され、自己組織化が繰り返されています。これと同じように「コンピュータによるパターン認識システムで使われる数学の技法は、脳で使われるものよりもはるかに単純だが、実際には、自己組織化のモデルについての工学的実践は十分に行われている」とカーツワイルは主張します。さらに、脳が実現している知的創造性とは、その「カオス的で複雑な活動から生まれる創発的な特性」なのですが、「ニューロンの機能にあるカオス的側面は、複雑性理論やカオス理論の数学的技法を用いてモデル化することができる」。

　要するに、脳がやっていることの大概は、コンピュータのネットワークによって代替可能で、後者はスピードにおいて圧倒的に勝っていますから、前者の思考の限界を越えた知的創造性を獲得できる可能性があるのです。

　そして、このような人間の脳の働きをシミュレーションした先に生まれてくるＡＩのことを、カーツワイルは「強いＡＩ」と呼んでいきます。「強いＡＩ」とは、人間の知能をあらゆる面で超える人工知能のことです。彼は、「いくつかの理由から、人間レベルのAIはやがて人間の知能を大きく上回る」と断言します。なぜならば、人間は言語的なコミュニケーションを介し、誤解をしばしば含む仕方でしか知識を共有できませんが、機械は一瞬で、機械的に知識を共有します。しかも、それは人間の脳をはるかに超える量の知識を蓄積し、瞬時に再利用します。人間はボケますが、AIは決してボケません。そして、人間の知識がどんどんインターネット内に蓄積されていくのに応じ、AIはそれらすべての情報を読み、理解し、合成していくようになります。「人間が人類の科学知識を全て把握できていたのは、何百年も昔の話」です。ところが今や、AIは「同時にいくつもの分野で最高レベルの人間の技能に匹敵し、超越することができる」のです。つまり、未来のレオナルド・ダ・ヴィンチは、人間ではなく、AIのみがなりうるのです。

4 「収益加速の法則」という幻想

以上のようなカーツワイルのシンギュラリティ論は華々しいもので、世界的な関心を集めたのですが、実は根本的な問題を含んでいます。技術的特異点がやがて、具体的には二〇四〇年代半ばに到来するという彼の主張を支えているのは、テクノロジーの指数関数的成長、彼が「収益加速の法則」と呼ぶ仮説です。彼は、現代の情報技術の能力は、指数関数的に発展していくと主張します。指数関数的ということは、ある年に技術がその前年の、たとえば二倍高い水準になったとすると、その翌年の技術はさらにその年の二倍高い水準に成長していく傾向があるということです。ですから、ある年を基準に見たとき、技術は二倍、四倍、八倍、一六倍、三二倍、六四倍とより速いペースで成長していくことになります。

このように技術の成長が加速する理由として、彼はいくつかの要因を挙げています。そのポイントは、ある段階の技術革新の結果が、その次の段階の技術革新のための前提として使われていくという点です。たとえば、ある技術革新によってコストパフォーマンスがよくなると、それによって生じた資金的余剰を次の技術革新のために使うことができるようになります。また、低コスト化によってより大きなマーケットを獲得すると、その大きなマーケットから得られた資金をさらなる技術革新に使っていけるようになるのです。そうして技術革新に媒介された好循環の回路が雪だるま式に膨張していくというのが、成長が指数関数化するという主張のポイントです。そしてたしかに、パソコンがどんどん小さく、軽く、高性能に、しかも安くなっていったPC発展期や、同じようなことが携帯電話に起きていった時期には、この指数関数的成長のモデルは当てはまるような気もします。

しかしカーツワイルは、この技術革新の雪だるま式好循環のモデルを長期的な歴史に適用し、指数関数的発展が無限のフロンティアに向かって続くかのように主張します。この主張はまったく空想的です。たしかに彼が主張するように、もし技術の変化が「ある特定の進化のプロセスの効率がよりよくなると、より多くの資源が、そのプロセスのさらなる進歩のために供給される。その結果、指数関数的成長が第二のレベルに到達する」という論理だけに導かれているのなら、「収益加速の法則」が成り立つかもしれません。しかし、技術革新はこんな単純な論理に導かれてきたわけではありません。そもそもこの種の能天気な主張はかなり古典的なもので、歴史によって繰り返し否定されてきたものなのです。

指数関数的変化の限界についての最も古典的な議論は、「マルサスの罠」です。これは、一八世紀末の経済学者トマス・ロバート・マルサスの議論で、大変有名なものです。マルサスは、人口は指数関数的に増加しがちだけれども、生産力はどう増産をしても線形的にしか増えないので、人類は必ず窮乏化すると主張しました。人口が指数関数的に増えるというのは、たとえば二人の夫婦から平均四人の子供が生まれるのなら、二世代後には人口は四倍、三世代後には八倍、四世代後には一六倍に増えるからです。それに対し、仮に四世代、つまり約一世紀間、生産力が向上し続けたとしても、到底一六倍にはなりません。したがって、多くの人口が飢えに苦しむことになり、その結果、人口は減少に向かうのです。

ここでの議論のポイントは、人口の指数関数的膨張が続くためには、その人口が安定的に食べていける基盤もまた同じスピードで増えなければならず、そのような前提は成り立たない。したがって、指数関数的膨張は長くは続かないということです。

人口と技術では、話が違うという意見もあるでしょう。しかし、技術の発展は根本的にはその技術を必要とする市場に支えられています。技術の指数関数的な発展に、もしも市場が同じスピードでついていけるなら、雪だるま式の好循環は続くのかもしれません。しかし、市場は決してそのように無限には拡張しません。したがって、技術革新の加速化は、必ずどこかで限界に近づいていくのです。

もう少し一般化すると、生物学から人口論、そして多くの経済的、社会的現象に至るまで、広く通用している指数関数的拡張についての基本原理は、ある有限な環境において、何らかの現象が自己増殖的回路を持つとき、その現象は環境に未開拓の余地がまだ十分にある間は指数関数的に増殖ないしは成長していくが、やがて飽和に近づき、成長は逓減して定常状態ないしは崩壊に至るというものです。これは一般にロジスティク曲線（S字曲線）として有名で、感染症流行から噂の拡散まで、私たちの周囲にある多くの自己増殖的な現象がこの法則に従います。これらの現象は、いずれもまだ初期的な段階では、指数関数的に伸びるという共通の特徴を持つのです。もちろん、新しいテクノロジーの市場的拡大も、この法則に従います。発展期の技術革新が指数関数的特徴を持つことは何ら不思議ではありませんが、だからといってその変化が半永久的に続くと考えるのは、まったくもって空想的です。

　現代のテクノロジーの中で、すでに飽和に達し、技術的成長が昔よりもずっと緩やかになっているのは鉄道や自動車、テレビ、そして最近ではパソコンもそうなのではないかと思います。少なくとも欧米や東アジアでは、これらは日常生活で当たり前のものになっています。もうすでにある技術水準で十分で、多少の改善は期待されますが、技術の加速度的発展などもう本当は望まれていないのです。ですから多くの日本人にとって、８Ｋの高精細テレビやリニアモーターカーは、過剰な技術革新でしかありません。声高に反対はしないとしても、その技術の発展に熱を上げられるのは、一部の技術者や経営者だけでしょう。

　そして、ＡＩに関しても、いずれ社会のなかで飽和し、あるのが当たり前になってしまう時が来ます。その飽和するタイミングは、カーツワイルが夢想するシンギュラリティの到来よりもずっと早いでしょう。彼は、指数関数的な成長の曲線がほぼ垂直に近くなっていく段階が来ると考えていますが、実はそれよりもずっと早くに市場が飽和に向かい、垂直圧力よりも水平圧力のほうが勝っていくのです。ですから当然、「成長率が極端に大きく、テクノロジーが無限の速度で拡大していく」ようなことにはなりません。到来するのは、特異点ではなく飽和点です。そしてその飽和点に近くなると、新しい技術革新から生まれる収益は、むしろどんどん小さくなっていきます。その時点では、高度なＡＩ技術が多くの企業に共有されているでしょうから、企業は飛躍的な技術革新よりも、目先の利益を求めて商品の低廉化やマーケティングを通じた差別化に向かうでしょう。技術革新は、指数関数的飛躍の時期を経て、やがては微細な改良や差別化、平準化へと向かうのです。

5　AIは、様々な分野で同じことをしている

ですから、シンギュラリティは来ません。それは、はっきり断言できます。しかし、そのような革命的未来が来ないとしても、私たちの社会にＡＩがますます深く、広く浸透し、なし崩し的に社会の根本を変容させてしまうのも確実であるように思います。そして、「シンギュラリティ」という幻想に、多くの人が思わず飛びついてしまうほどに急激な変化が、ＡＩ技術の社会的浸透によりすでに起こってもいます。したがって、ＡＩがこれほどまでに強力なイデオロギー作用を生んでいる理由を明らかにしておく必要が、まずあるのです。

二〇一〇年代以降、急成長していったＡＩの技能が最も有効に働くのは、医療や農業、金融や犯罪捜査、自動運転などの分野です。これらの分野は、一見、まったくばらばらに見えますが、ＡＩの視点から眺めるときわめて似ているのです。たとえば、医療分野では、ＣＴやＭＲＩの画像、あるいは内視鏡検査の画像から瞬時に早期がんの病変やクモ膜下出血の原

因となる脳内の動脈瘤を発見することができるようになりつつあります。ＡＩは、これらの疾患に関する過去の数十万枚の画像を学習し、そのパターン認識力を高めることによって、わずかな徴候からでも病気を発見できるようになってきたのです。この病変発見力だけに関して言えば、ＡＩはすでに超一流の名医の眼だと言えるでしょう。また、同じように過去の症例についての膨大なデータから、ある患者に臓器移植をしたときの生存率の予測もある程度までできるようになっています。さらに、アップルウォッチのような身体装着型の装置で生体についての毎日のデータを集め、異変があれば膨大なパターンの中で当てはまるものを見つけ出して最も適切な治療法を提案することもできます。

実は、このようなＡＩの医療分野での活躍と、農業分野での今後の活躍はほぼ同じ現象です。農業では今、省力化や生産性の向上にロボットやドローン、ＡＩなどの先端技術を使う動きが広がっています。たとえば、果樹園で生い茂る葉で見えない樹木の枝ぶりをＡＩで正確に把握し、誰でも最善の剪定（せんてい）ができるようにする。あるいは、ベルトコンベアーで流れてくる農産物を画像センサーで即座にチェックし、ＡＩが出来の悪いものだけを選別していくといった技術が登場しています。また、畜産ではすでにＡＩ導入が進んでいて、乳牛の首には一頭ごとに歩数や動きの変化を測るセンサーが取り付けられ、病気の徴候をＡＩが常時監視しているそうです。畜産農家は、毎日牛舎を廻って牛の様子を観察するのではなく、自宅も牛の健康管理ができるようになってきている。つまり、人間の健康管理も牛の健康管理も基本は同じで、私たちがアップルウォッチを装着するのと同じことが、家畜の世界にも起きているのです。人間が、それほどまでに家畜化しつつあるとも言えましょう。

医療や農業以上にＡＩ導入が業務に劇的変化をもたらしているのが金融・証券分野です。金融業界ではこの数年、融資審査や資産運用、不正監視へのＡＩ導入が進んでいます。証券業では、過去の膨大な注文データと人の目による審査結果をＡＩに学習させ、不正のあらゆるパターンを覚えさせます。それで、ＡＩは取引から疑わしいものを抽出するのです。

銀行業界でも融資審査へのＡＩ利用は広まりつつあり、融資を希望する人について年齢や収入、資産、職業といった情報だけでなく、生活習慣や消費パターン、出身校や趣味など多数の細かな情報が集められ、過去の膨大なデータに基づいてＡＩが希望者の格付けをしていく方向に向かっています。中国では、携帯電話のアプリによって、この種の格付けをスコアの形で誰でも簡単に受けられるようになっていて、スコアが高いとホテル宿泊や自転車の共有サービスで保証金がいらず、飲食店でも割引が受けられるそうです。中国政府はこれを住民の信用評価システムにまで発展させようと、納税状況やボランティア参加、犯罪歴などの個人情報と経済的な情報を一体化させ、住民一人ひとりの評価システムにしつつあるようです。こうしてＡＩは、かつてない徹底した監視社会の有力なインフラとなります。

当然、犯罪捜査や不特定多数の監視といった警察的分野でも、ＡＩは活躍しています。最近、日本のパスポートを持つ人は、空港での出入国が機械処理になり、劇的に短縮化されました。顔認証や指紋認証の技術が劇的に高度化した結果ですが、そのカメラの向こうではＡＩが作動し、私たちについての様々な監視の仕組みが動いているはずです。街中に設置される無数の監視カメラに撮影された映像は膨大で、どんなに手慣れた捜査官でもそこから逃走した犯人の姿を見つけるのは困難でしょうが、ＡＩならば膨大な画像データから、人間よりもはるかに速く、正確に犯人を特定します。実際、この種の活用はすでにかなりの広がりを見せていて、ロサンゼルスでは過去一〇年に起きた事件の内容や日時、周辺のバーの数、パトカーの滞在時間などの膨大なデータをＡＩが処理し、犯罪多発スポットを一五〇メートルごとに詳細に示して市警に提供しています。中国では、駅前やコンサート会場など至るところで監視カメラが一人ひとりの顔認証をし続けていて、犯罪歴のある人や問題のありそうな人をいつでも逮捕できる状態になっているといいます。現代社会は、すでにジョージ・オーウェルの『１９８４』以上の監視社会を実現させてしまっているのです。

ＡＩのこうした卓越した監視能力には、軍事的な利用価値が大いにあります。将来、ＳＦもどきの眼鏡をはめた特殊警察が群集の中にひそみ、危険人物を顔認証で特定し、誰にも気づかれないように殺傷するのが日常茶飯事となるかもしれません。実際、二〇二〇年一月、トランプ米大統領の指令によって米軍はイラン精鋭部隊のガセム・ソレイマニ司令官を上空からの空爆で殺害しました。この国家的殺人が人々を戦慄させたのは、ドローンと人工衛星、そしてＡＩを組み合わせた今日の軍事技術の精度の高さでした。司令官はこの時、バクダッドの国際空港におり、彼らの乗る車二台だけが上空から爆破されたのです。同様のドローンによる空爆を、イスラエルは敵の重要人物の殺害に使っていると言われています。

ＡＩやドローンの能力はますます高度化していきますから、将来的には自律型致死兵器、すなわちＡＩが膨大なデータに瞬時に反応し、自らの判断で標的を定め、敵をきわめて高い確度で殺害していく兵器の開発が進められる可能性があります。もはや、人間のぎりぎりの生死に人間が介在できなくなるのです。それでもこの殺人ＡＩは、人間のような仕方で何らかの決断をしているわけではなく、膨大なデータを自動処理しているにすぎません。データの処理によって、人間の生命が瞬時に「処理」されてしまう未来が見えてきています。

しかも、このようなＡＩディストピアは、自動運転でどこへでも気楽に移動できるスマートシティのＡＩユートピアと表裏です。自動運転も自動殺傷も、膨大なデータに基づいて瞬時に問題のある対象を発見し、それに対処するＡＩの能力が基礎だからです。実際、自動運転はＡＩの力が最も身近に発揮される分野とされ、すでに実用段階に入っています。高速道路とコミュニティという、高速と低速の二つの異なるレベルでの道路網ではもう一定の安全性が確認されており、今はいかに技術を製品化し、利益を上げていくかというマーケティングの段階です。技術的な課題が残されているのは中間の、速い車もいれば遅い車もいて、繁華街もあれば人通りの少ない道もある都心的な空間ですが、ここは本来、個人単位の自動車よりも、路面電車やバス、自転車道や遊歩道といった公共的な交通インフラを整えて脱クルマ社会を実現していくべき領域です。いずれにせよ、自動運転についての技術が高度化していけば、それは自動殺傷の技術的高度化にますます道を開いていくことになります。一方では徹底した安全性、他方では徹底した殺戮が機械によって誘導されていくのです。

6 パターン認識から未来予測へ

これらすべて、すなわち医療から農業、金融、犯罪捜査、さらにはマーケティングまでを含めたすべてのＡＩ活用には顕著な共通性があります。つまり、それらはいずれも膨大な数の類似の要素、つまりそれは体内の細胞であったり、畑の植物であったり、金融上の顧客情報や投資先の情報であったり、つかみどころのない無数の群集であったり、そしてさらに数の多い全世界の消費者であったりするのですが、そのようなとてつもない数の母集団から、一定の条件の組み合わせに適合する相対的に少数の要素を選び出します。同時にこの抽出プロセスは、過去のとてつもなく膨大なデータに基づいていますから、それらの条件の組み合わせに適合する要素が、これからどんな変化をしていくか、将来の変化や行動についてのかなり確度の高い予測を含んでいるのです。医師や農業経営者、金融資本家や犯罪捜査官、それに広告企業のマーケッターは、そうしてターゲットとして特定された細胞や苗、投資先や疑わしい人物、さらには顧客の未来を高い確率で予測できてしまうでしょう。

つまり、ＡＩが二〇一〇年代以降、全世界を巻き込むブームとなっていったのは、それがある程度まで未来を予測できるからです。コンピュータの情報処理能力の劇的な向上とネット空間や様々な専門的な現場におけるデジタルデータの莫大な集積により、ＡＩは当該の領域のとてつもない規模のデータから、多種多様な変数間の相関について共通するパターンやそこからの変異を解析できるようになりました。そこからある一定の傾向性を、非常に精度の高い仕方で抽出し、特定事例に当てはめることができるようになったのです。そしてこの傾向性は、過去から現在についてばかりでなく、現在から未来についてもかなりの場合、当てはまります。ですから、ＤＮＡの変化が細胞に及ぼす影響についてのある傾向性が抽出されると、なぜそのような影響が生じるのかがわからなくても、ＤＮＡのある変化で将来、細胞に何が起きるかを予測できるようになります。膨大な専門的文書の分析から、どのような場合にミスが発生するかを解析すれば、なぜそのようなミスが発生するのかはわからなくても、ＡＩは文書作成者にどこを注意したらいいかアドバイスできるのです。

これはどんな産業にとっても、大いに有益です。ＡＩの助けにより、私たちは未来を「間違いのない」仕方で予測できるようになるので、その予測を確実にするように行動したり、そこでの予測を回避するように行動したりすることができます。またその予測に基づいて新しい製品を開発し、他社を出し抜くことだってできるかもしれません。実際、ＡＩ技術の最初の応用は、もともと予測がビジネスの要であったような領域で進みました。すでにお話ししたように、金融分野での投資判断のための信用調査や不正検出、あるいは保険や医療の分野です。その延長上で、犯罪捜査や軍事、あるいは自動運転、そして自動翻訳といった相手のいる世界で、相互関係をフィードバック的に予測していく方向に進みました。

ここで重要なことは、ＡＩは大量なデータさえあれば、変数間の複雑な共起的関係を見事に浮かび上がらせますが、因果関係を構造的に理解しているわけではないことです。ＡＩは、とてつもない量のデータに潜んでいる指標間の複雑な相関を見つけ出すことについては天才的ですが、そのような相関がなぜ存在するのかを深く考えようとはしません。

7　プロファイリングによる予言の自己成就

ＡＩの未来予測能力は、「プロファイリング」と呼ばれる情報集約技術によって大いに高められます。それは、多数のデータベースに集積されたある個人についての情報を、ＡＩが相互に結びつけ、その統合化されたデータ群について評価を下していく技術です。ネット社会の中で私たちは様々なサイトにアクセスし、ＳＮＳで発信し、メールをやり取りしながら生活しています。つまり、私たちはばらばらな情報空間に日々膨大な痕跡を分散的に残しているのです。これらは普通、個別に存在するので、異なる発言や活動歴が結びつけられることはありません。しかし、高度なプロファイリング技術はそうした痕跡をつなぎます。ＳＮＳのアカウント名が仮名でも、複数のサイトにまたがっていても、リンク先やプロフィルに使っている画像などから同一人物のものとして特定していくことができるそうです。こうしてある人物の経歴や趣味、行動歴がまとめ上げられたプロファイルが作られます。

近年、就職情報サイトの「リクナビ」を運営するリクルートキャリア社が、就活生の同意を得ないまま内定辞退率を予測して企業に販売していたとして大いに問題になりました。同社は企業から応募者の氏名、メールアドレス、大学名を教えてもらい、リクナビが持つ会員の個人情報と結びつけて当人が内定をもらっても辞退する確率を割り出していたのです。その際、彼らは関連企業とも連携し、就活生のウェブ上での閲覧履歴などのデータも解析に組み込んでいたようです。このケースでは、個人情報を直接扱っていたにもかかわらず、同社が約八〇〇〇人分のデータを同意なく第三者に提供していたことが問題になりました。それが明るみに出て、政府の個人情報保護委員会から厳しい勧告を受けたのです。

しかし、この勧告が捉えたのは、氷山の一角にすぎません。今日、簡単な履歴書さえあれば、出身地や出身校、顔写真などからAIがその人物に関するネット上の情報を収集し、それらを結びつけてその素性を明らかにしていくことが可能だとされます。これをビジネスとしていく動きもあり、それらの企業は、「問題を起こすリスクのある人物を事前に見つけられるのなら、企業も対処のしようがある」から、企業利益につながると主張しています（「朝日新聞」二〇一九年六月二三日付）。職場内での行動に関し、勤怠実績や同僚とのメールのやり取り、勤務中の顔の表情までをAIに分析させ、その人の能力活用に利用する動きもあるそうです。メールで使われた単語の頻度や文面の長短、返信のタイミングなどをAIが分析すれば、社員の心身の健康を管理できると言います。すべてがAIによって可視化されていくことで、私たちのプライバシーは裸も同然、人生はデータに解消されていきます。

こうしたAIの予測技術が、重大な問題を含むことを明快に指摘したのは、『あなたを支配し、社会を破壊する、AI・ビッグデータの罠』（インターシフト、二〇一八年）という長いタイトルの本を書いたキャシー・オニールです。原著タイトルは、「**Weapons of Math Destruction**（数学的破壊兵器）」で、邦訳のそれよりはよほど魅力的です。邦訳タイトルのセンスは「ちょっとどうなの？」と思わず文句をつけたくなりますが、内容はいたってまとも、大変しっかりした本です。この本でオニールは、ＡＩによる人材評価が、不平等を拡大再生産させる自己成就的な仕組みになっていることを説得的に示していきます。

たとえば、すでに述べた全米各地の都市で警察が利用している区域ごとの犯罪多発スポットの可視化システムですが、入力データに人種や民族に関するデータがまったく含まれていなかったとしても、結果的に人種差別を助長する傾向を強めます。なぜならば、多発スポットにはそれだけ多くの警官が配置され、彼らは自分たちの成績を上げるためや、諸々の理由で軽犯罪まで含めた多くの犯罪を摘発しがちです。そのため、より監視の目が行き届く地域でより多くの犯罪が摘発され、結果的に、その区域がますます犯罪多発スポットとして記録されていくことになるのです。そしてこれは、しばしば黒人居住区と重なります。

雇用の場面でのＡＩによる人材評価では、この負の循環が深刻です。近年、従業員の採用にＡＩが導き出したスコアを利用する企業が増えてきました。問題は、そのスコアの算出モデルは、過去の膨大なデータから導き出されているために、必ずしも論理的に必然ではない多くの因子を合体させていることです。たとえば、請求書の支払いを滞納したことがないことと、遅刻をせずに出社し、真面目に働くことの間には一定の相関があるかもしれませんが、過去に何らかの理由で滞納をしていても、仕事に対する強い責任感を持つ人はいくらでもいます。しかし、こうした諸因子の結びつきのなかで、その人のスコアが低くなり、職を得られず無職の状態が続けば、貧しさからますます悪い条件が重なっていきます。すると、ますますスコアが低くなり、就職はますます困難になっていってしまうのです。

つまりこういうことです。私たちの社会には、様々な社会的に負の烙印（スティグマ）を押されているものがあります。メンタルな病気、肥満、薬物依存、借金滞納、過去の逮捕歴などです。プロファイリングが高度化すると、これらの過去ないし現在の記録がＡＩによって探し出され、その人に紐づけられます。そして、本人にも、雇用者にも明示的ではないような仕方で本人のプロファイルがまとめ上げられ、就職や融資の際に活用されるのです。その結果、事態は不透明なまま本人は不利な扱いを受けるのですが、その理由は明らかにされません。本人からすれば、「なぜかわからないけれども、うまくいかない」ことが続き、次第に「自分はダメな人間だ」とすっかり思い込んでしまうことにもなりかねません。

まさに悪循環ですが、雇用主は、そもそもＡＩによるスコアを信用するところから出発しているので、この連鎖が見えません。そうして本当は優良であるかもしれない従業員を、どれほど多く逃してきたかに気づかないのです。このように、ＡＩに基づく人事システムには、「たくさんの有毒な『思い込み』が、数学によって偽装（カモフラージュ）された状態で搭載されており、検証されることも疑念を抱かれることもないまま、広く世に出回」っているのです。

さらに米国の一部の大学では、受験生が奨学金サイトを閲覧した時間を、合格を出す際の参考にしているといいます。大学からすれば、学費を全額払える入学者が多いほうが都合よく、貧しい学生はなるべく事前に排除しておきたいのです。つまり、プロファイリングによって集められた諸々の情報により、受験生や就活生の人物評価が、本人も知らないし、雇用者側も説明できないような仕方で減点されていくわけです。雇用者は、とにかくＡＩが膨大なデータに基づいて客観的に評価したのだから、結果は信頼できると思い込みます。たしかにすべてはアルゴリズムに従って機械的になされています。つまり、そこに誰か個人の恣意が働いているわけではありません。この仕組みは、見かけ上は平等ですが、それゆえに結果的に底なし沼のような不平等化の仕組みに人々を陥れていく可能性があります。

オニールは、ＡＩは今日、「勢いを増すデータ経済の中心部に潜んで」おり、その「中身が不透明で、一切の疑念を許さず、説明責任を負わない。規模を拡大して運用されており、何百万人もの人々を対象に、選別し、標的を絞り、『最適化』するために使用されている。算出された結果と地に足の着いた現実とを混同することによって、有害で悪質な数学破壊兵器のフィードバックループを生み出している」と批判しています（同書、二一、二三頁）。

お話ししてきたように、ＡＩの思考は、私たちの通常の思考とは異なり、巨大なデータ群の中に人間の眼では見えない隠れたパターンを見つけ出していくことに基づいています。このパターン発見能力においてＡＩは天才ですが、それ以上でも以下でもありません。それは、私たちがするような論理的思考をしていないのです。ですから、このシステムの結果を社会的な価値に照らして評価するには、その入出力から検証を進めるしかありません。オニールは、ＡＩの問題点を是正するために、その影響範囲や影響の大きさを測定し、アルゴリズムの監査を行う必要があると提案しています。ＡＩがしているデータの入力と出力の関係を探索的に調べていけば、そのＡＩのモデルの前提を暴き、モデルの公平性を評価できるという指摘です。実際、米国の最先端の大学では、「ソフトウェア・ロボットがオンラインであらゆる種類の人々——裕福な者、貧しい者、男性、女性、精神衛生上の問題に苦しむ者——になりすます。そうやってなりすました状態でロボットが受ける扱いを調査することにより、検索エンジンから求人サイトまで、さまざまな自動化システムにおける偏見・バイアスを検出し、研究」する動きが始まっているそうです（同書、三一六頁）。

8　特異点なきＡＩ社会到来の憂鬱

ＡＩが人間と同じような意識や意志、社会変革の想像力を持つようになると考えるのは空想的です。そのような未来は、少なくとも二一世紀の間は、それどころかおそらく永遠に来ないでしょう。シンギュラリティは来ないし、鉄腕アトムは生まれません。しかし、ＡＩはすでに隠れたパターンの発見力や短期的な未来予測の能力において、人間の知能をはるかに凌駕しています。このことは、私たちの社会の未来に重大な帰結をもたらします。実際、これまで当たり前のようにあった多くの職業や産業が、そう遠くない将来、ＡＩに取って代わられていくことになると言われていますが、これは本当です。カーツワイルのいう「シンギュラリティ」が二一世紀を通じて到来しないとしても、二一世紀末までに現代社会は、かつて一八世紀末から一九世紀にかけての社会が経験したのと同じくらい大規模な産業構造の転換と雇用の変化を経験するでしょう。そしてこの変化が、私たちが当たり前の理想として追求してきた民主主義や自由の観念を危ういものとしていくのです。

ユヴァル・ノア・ハラリは、このペシミスティックな将来を展望します。二〇一五年に出た『ホモ・デウス』（河出書房新社、二〇一八年）で彼は、二一世紀を通じ、ＡＩが社会に深く浸透していくなかで、個人主義や人権、民主主義といった近代社会の根幹的価値が力を失うと予想しています。彼は、ＡＩの高度な発達によって人間の労働力が産業的および軍事的な有用性を失っていくと、経済と政治の制度の面でも人間にはあまり価値が置かれなくなっていくと論じるのです。

そもそも自由主義や民主主義が近代の支配的なイデオロギーとなったのは、その哲学的な正しさによるよりも、「人間全員に価値を認めることが、政治的にも経済的にも軍事的にもじつに理に適っていた」からです。要するに、「近代以降の産業戦争の大規模な戦場や現代の産業経済の大量生産ラインでは、一人ひとりの人間が大切だった。ライフル銃を持ったり、レバーを引いたりする、一つひとつの手に価値があった」のです（『ホモ・デウス』下巻、一三三頁）。そうした基盤があったからこそ、国民一人ひとりが、経済的な貧富の差を超えて、基本的人権や政治的平等、公共的な福祉を要求していくことができたのです。

ところが二一世紀のＡＩ社会では、この基盤が崩れます。二一世紀はもはや総力戦体制の時代ではありません。すでに、「二一世紀の最も先進的な軍隊は、人員よりも最先端のテクノロジーに依存する度合いがはるかに高く」なっています。今日の米軍のイランやアフガニスタンでの軍事行動は、ベトナム戦争の頃とはまるで違って、「高度な訓練を受けた少数の兵士と、さらに少数の特殊部隊のスーパー戦士と、高度なテクノロジーの生み出し方と使い方を知っている一握りの専門家」さえいれば事足ります。ドローンやサイバー攻撃用のソフトウェア、様々なサイバーセキュリティ技術を駆使する専門家が、敵国の中枢を一瞬で破壊するのです。戦略爆撃の延長線上に発展した宇宙戦とサイバー戦は、地上戦とはまったく異なる仕組みで動きます。勝敗を左右していくのは、ハイテク技術とアルゴリズムです。

産業の分野で起きようとしていることは、さらに深刻です。ハラリは、「産業革命の間に馬たちがたどった運命」と同じ運命が、いまや多くの人間を襲おうとしていると言います。一八世紀まで、「平凡な農耕馬は、匂いを嗅いだり、愛したり、顔を認識したり、柵を飛び越えたりといった無数のことを、T型フォードや一〇〇万ドルもするランボルギーニにはとうてい望めないほどうまく」こなせていました。馬たちに人権(馬権?)があったわけではもちろんありませんが、彼らは社会の中で確たる位置を占めていたのです。

しかし、自動車は「農耕システムが本当に必要としていたほんの一握りの仕事では馬を凌いでいた」というだけの理由で、ことごとく馬に取って代わったのです。近い将来、AIとGPS技術に基づいて自動運転が広がるなかで、「タクシー運転手たちも馬たちと同じ道をたどる可能性はきわめて高い」のです。交通システムは、AIによって完全に自動化が可能な領域です。自動化された安全で安いタクシーに、運転手はいらなくなるでしょう。おそらく同様のことが、今日の産業社会でかなりの人口を占める多くの職種で生じるのです。

近未来のAI社会では、これまで比較的高度な技能を要するとされてきた多くの職種も消えていくと予想されています。たとえば、証券取引所のトレーダーは、すでに徐々に姿を消しつつあります。今日、兜町にある東京証券取引所に行くと、建物は大変立派なのですが、内部はがらんとしていて、生身の熱気が感じられないのに驚きます。昨今では、大部分の株式取引は、すでにコンピュータのアルゴリズムに管理されているからです。「アルゴリズムなら、人間が一年かかっても処理できないほどのデータを一秒で処理でき、人間が瞬きするよりもずっと速くデータに反応できる」から、このデータ処理の速さの圧倒的な差によってトレーダーは不要の存在となってしまったのです。

同じ理由で、弁護士の仕事をサポートするパラリーガル職も消える可能性があります。過去の判例を調べ、関連するデータや証拠を集める作業は、ＡＩなら瞬時に出来てしまう可能性が高いからです。さらに医師がしてきた患者の症状の診断や適切な薬の処方も、ある程度まではＡＩに代替可能です。もちろん、複雑な案件の裁判や難しい病気の診断は熟達した弁護士や医師でないと不可能でしょうが、そうしたケースは全体のごく一部です。

こうしてＡＩ社会は、大量の失業者を生んでいく可能性があります。そしてこの大量の失業者が置かれる状況は、もはや肉体労働の需要が減った後に、知的労働の需要が拡大していくというような重心移動を期待できない点で、かつての産業革命の中での失業の増加とは異なります。二〇〇年前、産業革命の結果として大量の失業者が生まれたときには、機械が人間の肉体労働を大規模に代替しても、まだ人間は認知的技能が必要な仕事へと重心を移動させることができ、その結果、かなりの数のホワイトカラーが生まれました。

他方、同じ頃に「社会主義が広まったのは、この新しい労働者階級の、前例のない欲求と恐れに、他のどんな教義も応えられなかったから」です。そして二一世紀、「私たちは新しい巨大な非労働者階級の誕生を目の当たりにするかもしれない。経済的価値や政治的価値、さらには芸術的価値さえ持たない人々、社会の繁栄と力と華々しさに何の貢献もしない人々だ。この『無用者階級』は失業しているだけではない。雇用不能なのだ」（同書、一五六―一五七頁）とハラリは、未来のＡＩ社会に拡大する巨大なリスクを予見します。

9　知的労働から掃き出される人間たち

問題は、ＡＩ革命が産業革命と異なり、人間の知的労働の機械的代替をもたらす点にあります。産業革命が肉体的労働を機械化したのに対し、ＡＩ革命は知的労働を機械化します。今日、システム化され、ルーティンとして管理されている知的労働は膨大にあるので、それらがＡＩによって代替されていくと、その影響は社会の根本を変えてしまうのです。

ハラリの言葉で言うなら、これは「意識」と「知能」の分離です。シンギュラリティが来ない以上、ＡＩが人間的な意味での意識を持つことは、将来にもありません。ＡＩは、意識も感情も持たない機械であり続けます。しかし、知能においては、すでにいくつもの分野で人間を凌駕しているし、ますます凌駕していきます。歴史を通じ、「高度な知能はつねに、発達した意識と結びついていた。チェスをしたり、自動車を運転したり、病気の診断をしたり、テロリストを割り出したりといった、高い知能を必要とする仕事は、意識のある私たち人間にしかできなかった。ところが今では、そのような仕事を人間よりもはるかにうまくこなす、意識を持たない新しい種類の知能が開発されている」のです（同書、一三七頁）。

そして、覚悟しておかなければならないのは、未来の産業にとって重要なのは、あくまで知能であって意識ではないことです。親切心溢れるタクシー運転手や経験豊かな医師は、たしかに社会にとってかけがえのない存在です。しかし、産業にとって重要なのはそこではなく、早く正確に客を運ぶことであり、迅速に正しい診断を下すことです。この機能面でＡＩが高性能化すれば、産業は一斉に人間よりも機械を選びます。

こうして二一世紀半ばまでに想定されるＡＩ失業の膨張は、中長期的に経済を押し下げていきます。たしかにＡＩは、様々な技術革新を起こし、新市場も生みますから、その普及の初期には経済を押し上げるでしょう。しかし、それがやがて社会の様々な領域に十分に浸透してしまうと、今度は失業者を累積的に増やし、長期的に経済を押し下げるのです。

その時、ＡＩ失業者たちはどう行動するでしょうか。一九世紀イギリスのラッダイトのように、ＡＩで自動化された産業に恨みを抱くかもしれません。平成の日本に蔓延した非正規雇用のような差別が、さらに規模を拡大させていくかもしれません。社会が両極化し、富める者がますます富み、貧しき者の人口が膨れ上がり、社会不安が増大していくでしょう。かってなら、過激な労働運動や社会主義運動が広がったでしょうが、今日の米国のようにフィルターバブルで分断・管理されてしまうかもしれません。

カーツワイルが技術的特異点の到来を二〇四五年と予測していたことは、彼の意図とは違う意味で示唆的です。特異点は来ませんが、それまでにＡＩは社会に隈なく浸透し、質的な変化を生じさせます。産業では、二〇二〇年代にＡＩは様々な職場で実用化され、やがて飽和点となるまで浸透していきます。社会生活でこの技術が飽和点に達するには、一〇年以上の歳月がかかるでしょう。それでも二〇四五年には、ＡＩは産業でも、生活でもほぼ飽和しているはずです。そのことは、ＡＩ導入による失業も飽和点に達しているであろうことを含意します。ＡＩ導入は、それ自体としては生活が便利になるし、物事の処理速度もますます速くなるので、バラ色に見えるかもしれません。しかし、これは産業の合理化ですから、システムから外された人々の問題が深刻化しないはずがないのです。

しかも、二〇四五年には日本のみならず東アジア全体が超高齢化社会になっていますから話は複雑です。人口構造の重心が高年齢層にシフトすることで、各々の社会の成長力は弱まっているはずです。すでに日本に起きていることが、他のアジア諸国でも起きるのです。ですから二〇四五年には、ＡＩに制御されて緩やかに変化する活力の少ない社会が、東アジア全域で同時多発的に重大な危機を迎えている可能性があると思います。

10　AI的思考の彼岸とは何か

医療や農業、犯罪捜査や監視、金融、雇用、消費者動向、交通システムというように、AI導入で大変化がもたらされる領域はかなりの範囲に及び、産業界がこの技術に色めき立つのも理解できます。そして、これらの領域にはいくつかの共通の特徴があります。すなわち、病気の進行にしても、金融の変化にしても、雇用や消費者動向にしても、予測はある一定の連続的な変化の先を見通します。突発的に状況が大きく変化することは、あまり起こりそうにもありません。犯罪捜査にしても、犯人にはある同一性があって、その人の行動パターンや体格が急に変わってしまうことは、まずないでしょう。

逆に言えば、これらの条件が満たされないと、AIはその弱点を露呈させることになります。たとえば、東日本大震災のような未曾有の災害に対し、AIは果たして有効に対応できたでしょうか？　関東大震災や神戸の大震災があったにしろ、先行するケースはわずかですから、震災についての大量のデータが集まっていたわけではありません。被害状況も実に多様で、そのそれぞれに応じ、迅速かつ総合的な対応が求められました。熟達した防災専門家ならば、こうした際には経験知に基づき確度の高い判断をします。そのような経験知の構造化には、ＡＩよりも、後にお話しするデジタルアーカイブのほうが適しています。

同じことは、二〇一九年秋の台風災害のような場合にも言えて、長野や千葉、神奈川で多くの川が氾濫して思わぬ被害がもたらされました。巨大台風が来ることはデータから正確にわかっていましたが、その結果、突然、想定外の事態が生じたのです。このプロセスには複雑に諸要因が絡まりあっており、ＡＩの射程を超えます。そして、これに対処できるのは、ＡＩではなく責任感のある人間です。ＡＩは大規模な既存データに基づいた統計的な知ですので、そのようなフレイムを超えてしまう事態には無力なのです。

同じように、ＡＩは想定を超える社会の突発的な変化にも無力であるように思います。ＡＩは、既存の経済データに基づいて、投資判断はかなり正確にするでしょうが、突然の恐慌は予測できません。バブル経済が危険な水準にあることは示せても、それがいつ、どのように破綻していくかまでは予測不能なのです。ですから一度恐慌が生じると、劇的な変化にとりあえずの対応策しか示すことができないでしょう。そうする間にも事態は変化し、最初の答えと次の答えが矛盾することも頻繁に生じるでしょう。さらに恐慌だけでなく、暴動やデモ、二〇一九年の香港での市民運動のような大規模な社会変化が起きていくと、ＡＩがそれまでのデータに基づいて前提としていたことが成り立たなくなります。

さらに、二〇二〇年二月以降、中国から世界に急拡大した新型コロナウィルスのような感染症の大流行に対しても、ＡＩは有効な解決策を示せたわけではありません。今日、中国はＡＩ技術では米国と覇権を競うほどの大躍進を誇っていますが、武漢におけるこの感染症拡大にはまったく無力でした。感染症の流行は、いくつかの条件下で典型的な指数関数的拡大のパターンをとるので、十分な過去のデータと予防体制があれば対策を立てられます。しかし、中国国内にそのような体制はまるでなく、甚大な被害が発生したのです。中国政府は、インターネットを流れる情報に対して徹底した監視体制を敷いていますが、街中で広がる病原菌をまったく制御できなかったのです。感染症は、韓国、イタリア、イラン、米国と広がっていきましたが、その拡大の速度や経路をＡＩが予測できたわけではありません。

他方、ＡＩは未来の戦争の有力な手段ですが、和平交渉を進めていく有力な手段にはなりません。和平のためには、戦争状態にある両陣営の権力状況や地域内の複雑な社会秩序、国際情勢に配慮し、タイミングを選んで針に糸を通すような繊細さで交渉を進めていかなければなりません。それに何よりも、関係者間の信頼関係の構築が前提になります。つまり、そこでの根本は、データではなく信頼なのです。同じように、ＡＩはある土地の不動産価格の変化を、データさえ十分ならば正確に予測するでしょうが、その地域がどんな街になっていくべきなのか、街づくりの指針は示しません。仮に示したとしても、それは似たような諸要素の統計的分布に基づくものですから、創造的なプランにはなりません。要するに、ＡＩが理念や執念を持つことはなく、信義のために己を犠牲にすることもありません。しかし人間は、責任感からしばしばそうした行動や決断をするのです。

つまり、その事象の発生回数が少なかったり、突発的であったりする場合や、複雑な文脈において総合的な判断力が必要とされるような場合には、ＡＩは決して問題の有力な解決手段とはならないのです。たしかにＡＩは、稠密（ちゅうみつ）で連続的なデータ空間の中で起こる事象については、有効な解決策を示せます。しかし、その空間が隙間だらけで、断裂が入り、様々な非連続線が走っているような場合には、ＡＩは要素の配置や位置づけを測る地となる空間を構成できず、諸要素の識別も未来の予測も信頼度の低いものとならざるを得ません。

やや違う言い方をすると、ＡＩには歴史の大きな危機を突破する力が根本的にないということです。先ほど触れたキャシー・オニールは、彼女自身がＡＩについて知悉したデータサイエンティストですが、「ビッグデータは過去を成文化する。ビッグデータから未来は生まれない。未来を創るには、モラルのある想像力が必要であり、そのような力をもつのは人間だけだ」という言葉を本の結論にしています。私も、まったく同感です。膨大な過去のデータの中に人間では気づけないパターンを発見し、その延長線上で未来を予測する点で、ＡＩは本当にパワフルで有用なのですが、それだけなのです。そのような「延長線上」ということが成り立たない非連続局面を、ＡＩは跳躍することができません。

そして、ＡＩが戦争兵器になれても平和交渉の担い手にはなれないということは、ＡＩは特定分野で有能な官僚にはなれても、人々をまとめるリーダーにはなれないということです。なぜならリーダーは、強い責任感を持って他の人々の思いや期待を引き受け、命がけの跳躍をしなければならないからです。そのようなことは、ＡＩはしません。なぜならばＡＩは機械だからです。しかも、過去のデータに見えないパターンを見出す才能に特化した機械です。ですからそれは、膨大な資料を溜め込んで処理できないか、処理してもミスだらけの官僚に比べればはるかに有能になれても、未来へのヴィジョンを創造し、そこに向けて人々を導いていくようなリーダーにはなれません。突発的な危機が社会を襲ったり、歴史が危機の中で劇的な変動を迎えたりするときも、ＡＩは過去との連続性にこだわり続けます。

11　歴史も社会も非連続に満ちている

しかし実際、私たちの歴史も社会も、実は非連続に満ちているのです。歴史的な非連続としては、すでに触れた大災害や大恐慌、革命、戦争などが分かりやすい例でしょう。二〇一一年に東日本大震災で、私たちの社会の何かが非連続的に変化したように、一九二三年の関東大震災も歴史の非連続点でした。一九二九年のブラックマンデーや二〇〇八年のリーマンショックを、グローバル資本主義の非連続点として理解することも可能です。これらの場合、必ずしもすべてが非連続になったわけではなく、その直後のパニックのような状態が収束すると、一面ではまた何もなかったかのような日々が始まっています。しかし、その後の世界はそれまでの世界と、何かが決定的に変化し始めていることもまた事実です。

革命や戦争の場合、この非連続性はよりはっきりしています。フランス革命の前後での西欧の歴史、ロシア革命の前後でのロシアや東欧の歴史、中華人民共和国の成立の前後での中国の歴史は非連続です。日本でも、明治維新の前と後は連続のモメントよりも非連続のモメントのほうが大きいと思います。さらに戦争で言えば、ヨーロッパの歴史における第一次世界大戦の前後、東アジアの歴史におけるアジア太平洋戦争の前後は非連続です。そしてこの後者においては、日本がある意味で主役でした。「主犯」であったと言ったほうが正確かもしれません。明治維新という切断を経て、大日本帝国の拡張とアジア太平洋戦争でのその劇的崩壊は、日本近代史のテーマという以上に、現代世界史の大テーマです。

このような歴史の変動を、ＡＩは予測できないし、それが生じた渦中においては対処もできないと思います。大災害や大恐慌に際して必要なのは、専門家の英知の結集です。感染症の世界的大流行、たとえば、このお話をしている二〇二〇年初春に生じている新型コロナウイルスのパンデミック的拡大も同じです。いずれの場合も、防災や経済、医療の専門家たちが結集し、あらゆる可能性について集中的に議論し、誰かがリーダーとなって決断をしていくことが何よりも重要なのです。ＡＩに何かを予測させることは、補助的にはあり得るかもしれませんが、この種の危機的状況で主役を演じるのはＡＩではなく人間です。革命や戦争についても同じことが言えます。革命には未来への明快なヴィジョンを持ち、それを説得的に語ることのできるリーダーが必要です。戦争を止めさせる和平交渉には、したたかな交渉術を身に着けた熟練した政治家が必要です。すでにお話ししたように、これらすべてにおいて、最も重要なのは信頼であり、データではありません。

歴史の非連続は、歴史の大激動においてのみ生じるのではありません。それはまた、大発見や大規模なイノベーションでも生じています。ＡＩがノーベル賞級の大発見や大発明を予測できるかと言えば、答えは「ＮＯ」でしょう。宇宙の彼方に何があるのか、ＡＩは知りません。過去の膨大なデータがまだないからです。データが増えてくれば、少しは予測可能になってくると思いますが、そのデータを増やしていくのは科学者たちの時間をかけた努力であって、ＡＩが自動的に出来てしまうような作業ではありません。

さらに言えば、ＡＩのブーム自体を、果たしてＡＩはどこまで予測できたでしょうか？すでにブームになってしまった現状において、今後、ブームがどのように推移するかを予測するＡＩを開発することは可能かもしれません。しかし、ＡＩが、あるいはそれに先行してインターネットやパソコンがこのような仕方で急激に社会に浸透することを、AI的思考は想像できなかっただろうと思います。それを想像し、確信し、実現したのは、たとえばスティーブ・ジョブズであり、ビル・ゲイツであったのです。そこには人生の「賭け」のようなものが、必ずあったはずです。

さらに、認知される情報世界そのものでも、非連続性は同時代の社会に溢れています。AIによる予測は膨大なデータに基づいていますが、そのデータは何らかの主体によって、何らかの視点から集められたものです。医療の現場ならば医師や看護師によって、金融の現場ならば銀行や証券会社によって、教育の現場ならば教師や教育機関によってデータが集められます。つまり、患者や借り手、学生、労働者、社会的マイノリティは、データを集められる側ではあっても、なかなか自らの視点でデータを集積していくというふうにはなっていません。つまり、AIが前提としているデータは、しばしばある視点からのものになりがちだということです。同じ出来事に関しても、患者や学生、労働者、マイノリティの人々は、かなり異なる見方で状況を捉えており、そこから生まれてくる根本的に異質なデータ群があるかもしれません。そのような他者との対話は、非連続性を越えていく作業を含んでおり、その内実は同一平面のデータの多様性には解消できないものです。

このような非連続性、その帰結としての根本的な予測不可能性を、スリリングな書きぶりで説いたのは、ナシーム・ニコラス・タレブの『ブラック・スワン』（ダイヤモンド社、二〇〇九年）です。ブラック・スワンとは、文字通りオーストラリアで発見された黒い白鳥のことですが、この発見まで、旧世界の人々は白鳥はすべて白いと信じ込んでいました。その自明性が、オーストラリアで黒い白鳥が発見されたとき、一挙に瓦解したのです。同じように、私たちが「当たり前」と信じ込んでいて、その延長線上に予測していたことが、思いもしない仕方で崩れる瞬間を、タレブはこの「黒い白鳥」の比喩で捉えていきます。

「黒い白鳥」は、三つの特徴を備えています。第一は、異常なこと。過去のいかなる傾向に照らしても、そんなことが起こるとはっきり示す兆候がないこと。第二に、そのことが起きたことで、とても大きな衝撃がもたらされること。第三に、それが起きてしまうと、私たちは、事後的に適当な説明をでっち上げ、それが実は予測可能であったという説明をしてきたことです。たとえば、一九一四年の第一次世界大戦開戦、一九九〇年代初頭のソヴィエト共産圏の崩壊、それに二〇〇一年九月一一日の同時多発テロ、さらにはタレブのこの本が出版された直後に起きた二〇〇八年のリーマンショックは、すべて「黒い白鳥」です。

人類の歴史も、私たちの人生も、かなりの程度、「黒い白鳥」によって方向づけられてきました。それにもかかわらず、私たちは自分たちの視界の下に、いつも黒い白鳥が潜んでいることに気づかないフリをし続けます。なぜならば、黒い白鳥を認めてしまうと、私たちは根本的に未来が予測不能なのだと認めることになるからです。「黒い白鳥」を視界の外に追いやることで、私たちは未来が予測可能で、努力すればそれを実現できるかのような幻想を持ち続け、それによって人生につかの間の希望を抱いたり、会社の従業員を納得させたり、国家の未来を語ってみせて選挙で勝利をしたりしているのです。そのすべてがペテンだとまでは言いませんが、そこには嘘が含まれています。

ここで重要なのは、白い白鳥をいくらたくさん集め、詳細に調べ上げても、黒い白鳥がいないことの証拠にはならないことです。くそ真面目な実証主義も、統計や確率論の信者たちも、この点についてはまったくの盲目です。そしてそれらの思考は、実際に黒い白鳥が目の前に現れると、ただ茫然として「想定外」と叫ぶことしかできないのです。

タレブは、この種の実証主義や統計の信者たちが居心地よく住んでいる世界を「月並みの国」（異常性や外れ値を重視しなくてもすむ世界という意味）と名づけ、この国の住人たちの思考にはいくつかの典型的な傾向があると論じています。まず彼らは、「最初から目に見える一部に焦点を当て、それを目に見えない部分に一般化する」。次に、実に多くの教養ある人々が、「はっきりしたパターンをほしがる自分のプラトン性を満足させる講釈で自分をごまかす」。第三に、さらに多くの人々は、あくまで「黒い白鳥なんていないかのように行動する」。第四に、歴史的なデータや資料そのものが、白い白鳥たちの世界の視点から残されていくので、黒い白鳥の痕跡は残りにくい。第五に、私たちはしばしば、「素性のはっきりした不確実性のいくつか」に関心を集中させ、それで予測不可能性も問題も解決したかのように思い込む。しかし、不確実性と予測不可能性は同じではありません。確率論を練り上げ、カオスやフラクタルを数学理論化しても、黒い白鳥がいなくなるわけではないのです。

情報が増えれば、予測が正確になるとは限りません。タレブが紹介しているのは、ピンボケの消火栓写真の実験です。それが何だかわからないくらいぼやけた写真から始め、一方のグループでは解像度を一〇段階に分けてゆっくり上げます。他方のグループでは解像度を五段階に分けて素早く上げます。同じ解像度のところで、それぞれに何の画像かを尋ねる実験が何度も行われました。興味深いことに、写っているのが消火栓だとよく見分けられたのは、素早く解像度を上げていったグループだったそうです。つまり、情報量が少ないほうが、より早くに正解にたどり着いたのです。情報が増えると、必要以上に多くの可能性に思いが及んでしまい、判断を誤るのです。これは小さな実験ですが、同じことが、ネット情報が過剰に増殖している社会で起きています。私たちは何かを論じようとしているのですが、その「何か」についての情報が溢れてしまい、逆にそれが見えなくなってしまうのです。

「予測」という強迫観念に憑かれている現代人は、普通の日常が続く限りは、データに基づく分析でそれなりに満足のいく結果を得られます。しかし、「普通でないことはうまく予測できないから、そういう場合は大変なことになる」のです。つまり、金融でも経済でも政治でも、本当に重要なのは大きな変化の積分です。その都度の変化では、大半のところでは微分的変化しか起きないので、あたかも統計的な予測が当てはまるかのように見えます。しかし、変化の累積である積分値は、時々生じる大変化によって取り返しのつかないほどの影響を受けます。それが、リーマンショックであったり、9・11であったりするのですが、そのような突拍子もない変化を、「月並みの国」の予想屋たちは当てられません。

タレブが繰り返し描き出していく「黒い白鳥」の存在は、私たちの「予測能力の構造的な限界」を示しています。真に革新的な発明であれ、革命や戦争、恐慌、さらには大事故であれ、私たちは自分たちの思考の地平を超えて生じる変化を想像することができません。これは、データが足りないとか、まだ精度が上がっていないとか、そういうレベルの問題ではなく、構造的にそうした予測は不可能だということです。ところが一度、その「ありえない」ことが起こってしまうと、それはもう「ありえない」ことではなくなって、私たちの思考のフレイムに変化が生じ、そこから先は一挙に類似の発明品が出回り、新たに連続性の地平が構築されていくのです。その先の過程は、もはや創造的でも革新的でもありません。

このような歴史や社会に潜在する非連続性や予測不能性を突き抜けていく思考は、果たして可能なのでしょうか？　読者はもうお分かりだと思いますが、これこそが知的創造の根幹的な問いです。膨大なデータを精査すれば浮かび上がるような連続的パターンではなく、異質な他者や異なる自明性を生きた時代と対話し、人々の考え方が劇的に変化していく時代の中で、それを超えるヴィジョンを構想していくことが、知的創造の核心です。

このように考えてくると、ＡＩが膨大なデータを基礎にしていく思考と、本書がテーマにしてきた知的創造が、どのように異なるものであるかがわかってきます。ＡＩは、本書が論じるような意味での知的創造をしません。それは、まだ発達途上だからという話ではなく、ＡＩがすでに説明したような原理に基づく限り、また他方で知的創造が本書で論じてきたような概念である限り、両者は根本的に水と油、永久に別種のものなのです。

もちろん、これは知的創造という言葉の定義次第ですから、この概念を本書とは別の仕方で捉え、ＡＩだって知的創造をしていると言えないこともないでしょう。しかし、そのような定義は本書の立場を根本から否定することになりますので、私はその種の議論には、「知的創造」とは何かという概念の思想的レベルで応戦したいと思います。

たとえば、前にお話しした「アタック・ミー！」の授業にしても、学生にＡＩ君がいたならば、事実認識の間違いや原典との解釈のずれのような「アラ探し」的な作業は一瞬で出来てしまうでしょう。しかし、より根本的な、相手の主張の学問的価値や立場性を問うような批判は決してできないのです。なぜならば、ＡＩには、立場性というものがありません。しかし、真に創造的な行為にとって、その作品を創り出そうとしている人が、自らの立脚点がどこにあるかに無自覚ということは、まずあり得ません。知的創造とは、ある場所から、別の場所に向けて語りかける行為であり、この両者の関係性、距離の中間にこそ、何らかの言葉やかたちが成立していくのです。そのような位置取りを、ＡＩは持ちません。

12　デジタルアーカイブはＡＩとどこで異なるのか？

本章の最後に、ＡＩとデジタルアーカイブがなぜ、どのように異なるのかを話し、これまでの議論のまとめとしていきたいと思います。ＡＩもデジタルアーカイブも、デジタル技術を基礎に過去の膨大なデータや資料を集積し、分類し、活用していく点では共通性がありますが、その原理や考え方に根本的な違いがあります。デジタルアーカイブの歴史は、言うまでもなくその歴史的先行者であるアーカイブ施設、つまり文書館や図書館の誕生まで遡るわけですが、それらの歴史は、この仕組みがいつも歴史的断絶と継承の両面の意識と結びついてきたという重要な事実を教えてくれます。ＡＩもデータベースもデジタルアーカイブも文書館や図書館も、未来をできるだけ思考可能なものとするために、過去の膨大な資料やデータを集積し、整序していくという点では同じなのですが、その過去と現在の関係についての理解に、すでに出発点においてある違いがあったように思えるのです。

すでに何度も述べてきたように、現代は、一五世紀末以降に人類が経験した印刷革命とも対比できるデジタル革命の時代です。パソコンやインターネットの普及も、ビッグデータやAIも、それにデジタルアーカイブや様々な仮想現実も、すべてこのデジタル革命の一部をなします。かつて、活字本が世の中に出回るようになったとき、それまでの中世の徒弟制や知識を求めて数カ月も旅する大学の文化、それに何よりもローマ教会の絶対的な権威が衰えていきました。人々は工房や大学、教会といった空間でのコミュニケーションを超えて、直接、活字本を通じて新しい情報や価値ある知識に達することができると考えるようになっていったのです。そこから先の数百年間、最初は出版産業が大発展し、さらに一八、一九世紀以降は新聞産業が、二〇世紀には放送産業が発展しました。つまり、これらはいずれもマスを受け手としたメディア文化です。中世の文化的権威の体制に代わり、マスメディアを基盤とした新しい近代の文化的権威の体制が出来上がっていったのです。

ところが、現代のデジタル技術の高度化とインターネットの浸透により、誰でも携帯型端末を通じて随時に、あらゆるタイプの情報にアクセスできるようになるなかで、このマスメディアを基盤とした文化のシステムが大きく揺らいでいます。世界中の多くの出版社、新聞社、放送局が苦境に陥るなかで、新しいネット型の文化産業が台頭しています。人々がネット社会で接する情報量は爆発的に増え、わざわざ本や新聞を読み、テレビ番組を最初から終わりまでじっくり観る余裕はない、という人が増えています。すでに論じてきたように、マスメディアが提供する情報を国民的な規模で共有する文化に代わって台頭しているのは、検索エンジンに媒介されてそれぞれが関心のある情報だけにアクセスする文化です。

このようなメディア変容が内包する大きな危険は、私たちが過去から継承してきた知の基盤が根こそぎ失われていくことです。圧倒的な量の情報が日々やり取りされ、流通するなかで、私たちは、自分たちがそもそも何を知っていて、何を知らないのかがわからなくなります。私は日々、その時々で流れている短命な情報の洪水の中で判断を下すのですが、それらの情報洪水が全体として、どのような地形の中で生じているのかを知りません。ネット社会は、時間を限りなく断片化する刹那的な意識を助長します。しかし、膨大な情報が高速で流れ、そこからその時々で重要と思われる情報を検索して刹那的に消費し続けていく文化は、いつまでも豊かで深いものにはならないし、私たちを賢くもしないのです。

社会がある「賢さ」を獲得するには、巨人の肩の上に乗らなければなりません。巨人とはこの場合、過去の知の蓄積です。図書館や文書館、ミュージアムは、まさしくそのような過去の知を未来につなぐアーカイブです。これらは現在、デジタルアーカイブ化という大きな潮流の中で新たな包摂の形成に向かっています。この包摂を通じ、私たちは歴史的な知の蓄積を、いかなる仕方で生かす仕組みを構築していくべきなのでしょうか。そしてそれは、AIのためのビッグデータの集積とは、どのように異なるのでしょうか。この問いを深めるには、これらのアーカイブ機関の歴史を少し復習しておく必要があります。

図書館の歴史はすでに第3章で触れましたので、ここでは文書館の歴史をざっと振り返っておきましょう。近代を通じ、文書館は国民国家の記録装置として発達してきました。その最初の画期はフランス革命です。革命の大動乱のなか、旧体制ではバラバラに保持されてきた国王文書や官庁文書、教会文書、各地の領主文書が一挙に新しい国家体制によって一元的に掌握されることになります。これら膨大な文書を一括管理することは、革命政府が旧体制の支配階級を訴追し、自らの統一権力を維持していくために決定的に重要でした。

そこで革命政府は、早くも一七九〇年、パリに国立中央文書館を置くことを決定し、九四年にその法令を定め、九六年には正式に公文書館法が施行されていきます。その体制は、行政システムの各階層に対応して文書館を置いていくもので、各県に県文書館、市町村に市町村文書館が置かれ、それが中央文書館を頂点とするピラミッド状の体制に統合されていきました。この他にも、外務省、陸軍省、国務院、パリ警視庁などがそれぞれの文書館を置くことが定められ、フランスは、革命までの旧体制の膨大な記録と同時に、革命後の実務も記録を残す体制を整備していったのです。ここで何よりも重要なのは、過去を徹底的に記録する体制の構築が、過去を徹底的に廃棄したフランス革命が持っていたもう一つの顔だったことです。過去をずるずると引きずり、しかし記録を残さないので自分たちが何を引きずっているのかも、自分でも忘れてしまう日本とは、文字通り雲泥の差です。

革命期のフランスに導入された文書館体制は、ナポレオン政権になっても継承され、王政復古後の一八二〇年代には、専門的アーキビスト養成のための学校も設置されます。国家体制の激動にもかかわらず、一九世紀を通じて国家の記録を保全する体制が整えられ続けるのです。こうした文書館発達の背景として、一九世紀の国家で、処理される文書総量が爆発的に増大していたことが挙げられます。膨張する文書に対し、適切な選別や分類、保存と活用の仕組みが整備できなければ、官僚機構は機能不全に陥ります。官僚機構の意思決定は、すべて紙の文書に基づいて行われるのが根本（文書主義）で、その証拠の文書を保全していくことは、組織のアカウンタビリティ（説明責任）のために必要不可欠でした。

他方、このような制度整備を背景に、公的記録管理についての考え方もオランダで体系化されていきます。そこでは、行政機関や職員によって作成・受領された書類・図面・印刷物のすべての保存（恣意的廃棄の禁止）や、ある作成母体の資料を、他の作成母体の資料と混在させないこと（恣意的編集の禁止）が最重要の原則とされるのです。やがて、第一次大戦を契機に行政文書はさらに爆発的に増加し、文書館の業務は膨大なものとなります。その結果、すべての行政文書の保存が困難となり、保存されるべき文書の第一次的選別は、それを作成した母体の組織に委ねられていきます。しかし、この選別が恣意的に行われないようにするために、行政文書はそれが作成された時点で、どれだけの保存期限を課すかが自動的に決められるという原則も立てられていきました。今日、世界の多くの国の公文書保存は、これらの原則に基づいて行われています。他方、そうした意識が日本の官僚組織でいかに欠落しているかが、ここ数年の中央省庁での記録管理をめぐる不祥事で露呈しました。

さて、二〇世紀半ば以降、世界の文書管理の流れを先導していくのはアメリカです。一九三〇年代、ニューディール政策によって政府の活動が拡大しますが、各省庁・機関が個別に文書保管をしていると様々な記録紛失問題が生じ、連邦政府は何らかの抜本的な対策を迫られました。そこで一九三四年、大統領府に米国国立公文書記録管理局（NARA）が設立され、米国が関与した公的文書全体の統合的なアーカイブとなっていくのです。一九三〇年代から四〇年代にかけて、戦時体制の中で公文書がさらに爆発的に増大しますが、それらをNARAは保管し、一定期間を経た後に公開してきました。NARAは、戦後世界の歴史資料のアーカイブとして多大な貢献をし、今も世界をリードしています。実際、日本の国際関係史研究者は、NARAなしでは研究ができません。ワシントン詣では続くのです。

13 デジタルアーカイブはなぜ知的創造の基盤なのか

　そして二一世紀初頭、デジタル化のなかでアーカイブがデジタルアーカイブへと拡張するなかで起きているのは、文書館、図書館、博物館、美術館、資料館といった仕方で様々に分化してきたアーカイブ機関のデジタル上での統合化です。もともと図書館の他の諸施設からの分離・発達は、一五、一六世紀以降の印刷革命、つまりそれまでの手書き文書の世界から活字本の世界が分かれて大発展していくなかで生じました。活版印刷によって爆発的に増えていった本が、やがてまとまって収蔵されていったのが図書館です。しかし今日、デジタル技術の普及によって、活字本と手書きの文書の境界線は曖昧になっています。

　他方、ミュージアムも最近まで、芸術作品を収蔵する美術館と歴史的な資料や文化財を収蔵する博物館、それに自然標本や機械のサンプルを収蔵する科学博物館にはっきり分かれていました。しかし、これらの美術館・博物館は、収蔵しているモノのレベルでは異なっていても、デジタルコンテンツとしては扱いに差があまりありません。今も異なるのは、美術館では著作権の扱いで厳しい条件がつくことがあり、博物館ではそれほど大きな問題にはならず、科学博物館では著作権はほとんど問題にならないという点でしょうか。

さらに、こうした既存のアーカイブ施設の境界線の解消以上に重要なのは、デジタル技術の進展によって、それまでコレクターの蒐集対象ではあっても、組織的な収蔵はほとんどなされてこなかった資料、たとえば写真や映像、録音、脚本、設計図、楽譜、プログラムなどのデジタル形式での保存と活用が容易になったことです。図書のように大量に複製されてきたわけでもなく、美術作品のようにオリジナルであることが特別の意味を持つわけでもないこれらの資料は、これまで公共機関の蒐集対象の外に置かれてきました。ところがこれらの資料が、デジタル化の進展によって、新しい記録知の基盤として注目されているのです。

このような蒐集対象の拡大は、ジャンルの拡大にとどまらず、アーカイブの概念自体も変化させていきました。旧来の美術館や図書館が収蔵したのは、すでに完成された美術作品や出版物です。博物館の標本では、やや異なる事情もありますが、多くはすでに完成された工芸品や道具、資料です。ところがデジタルアーカイブは、アーカイブ化される資料の範囲を拡張しただけでなく、作品が完成に至る諸段階、たとえば脚本や設計図から関連する証言まで、知の形成プロセス全体を保存・再現していくことを可能にします。

「アーカイブ」という言葉は、直接的にはある個人や組織、活動がその生涯や存続期間を通じて生み出した記録の総体を指します。しかし、この言葉の語源であるギリシャ語の「アルケイオン（ἀρχεῖον）」は、ポリスの最高権力者「アルコーン（ἄρχων）」の居所という意味を含んでいました。つまり、アーカイブとは「権力の館」でもあるのです。少なくとも古代社会では、記録の力を握った者、その国の歴史についての編纂能力を有した者が、最高権力者でもあったからです。アーカイブと統治は端緒から深く結びついていました。

つまりアーカイブは、上からの可視化、監視、記録、言説化といった意味合いをそもそも含んだ言葉です。古代から一九世紀に至るまで、こうして記録され、保存される記録とは、基本的には書かれたものとしての文書でした。実際の社会は、書かれたものという以上に語られたことや聞かれたことによって動くこともしばしばでしたが、アーカイブに残されるのは、あくまで書かれたものの総体であったのです。しかしそれでも、エジソンが蓄音機を発明する以前から、過去の記録の潜在的なレベルには、書き残されたものの外側で、膨大な語られたことや聞かれたこと、演じられたことや観られたことがあったわけです。

デジタルアーカイブは、そのような潜在的なコミュニケーションの次元を一気に顕在化させます。図式的に整理すれば、そこには、一方は公式的な記録性、他方は非公式的な記憶性を極として、少なくとも三つの異なる層が存在すると考えられます。まず、最も公式的な記録性に近い層は、文字で書かれ、文書として残された記録の層です。しかし、その文字的な層の下には、より一般的な記録の層が存在します。そこで保存される記録には、録音や写真、映像、地図、電子データなど、あらゆる形態の視聴覚的記録が含まれます。さらに第三に、これら二層の下に、人々の語りや思い出、集合的に記憶された出来事の層が残ります。この層にあるものは客観的な証拠とはなり得ませんが、それでも人々は何らかの仕方で過去を記憶し、語り直しています。最近では、この層の記憶をオーラルヒストリーとして引き上げる試みも様々になされています。もちろん、語られた記憶が常に正しいとは限りませんが、思い違いや忘却、嘘も含めてアーカイブとして価値があります。

以上で述べた非公式的な記憶性と公式的な記録性は、より一般的な言葉では「暗黙知」と「形式知」と呼ばれています。私たちの知識には、様々な具体的なふるまいややり取りと一体化した暗黙知の次元と、それが言語化され、記録として定着されていった形式知の次元があります。アーカイビングとは、この暗黙知の次元の活動や痕跡を基礎としながら、それらが形式知の次元に言語化され、記録化され、さらには目録化されることで結びつけられていくプロセスです。それは私たちが、私たち自身の歴史を自覚化していく実践でもあり、その効果として、自分たちの活動が検証され、時には方向修正もされるのです。

しかし、すでに説明した「アーカイブ＝権力の館」という語源が含意するように、公式に記録された過去と、非公式の、さらには集合的に記憶され、語り継がれてきた過去の間には抗争的な関係が存在します。つまり、書かれたもの、記録されたものと語られたもの、記憶され続けているものの抗争、形式知と暗黙知の抗争、もっと広く言えば、意識と無意識の抗争です。これこそ私たちの歴史の、そして同時に知的創造性をめぐるフロイト的な大問題です。つまり、歴史には記録に残されない、語られもしない無意識の次元があり、そのような次元が実は歴史を突き動かしてきたのです。そんな大問題にここで深く立ち入ることはできませんが、重要なのは、「アーカイブ」概念には、すでに書かれた記録の蓄積というだけでなく、これから語られ、書かれるかもしれない過去の無意識の記憶の層までもが含まれていることです。したがって、アーカイブはそれ自体の内に抗争を抱え込んでいます。

このアーカイブの、つまりは抗争を内部化した記録知の重層性が、記録知と集合知の関係をダイナミックに変化させていくことになるのです。はなはだ図式的ですが、図2をご覧ください（次ページ）。縦軸は、今述べた公式的な記録性と非公式的な過去の語りの緊張を孕んだ関係を示しています。横軸は、前章で議論してきた記録知と集合知の関係を示します。両者を交差させますので、当然、非公式的な集合知と非公式的な記録知、公式的な集合知と公式的な記録知という四つの象限が設定できます。もちろんこれはあくまで操作的な理念型で、実態がそのようになっているということではありません。実際には、四象限の事象はオーバーラップし、曖昧に複合しています。ただ操作的には、このような図式を設定して考察を進めることができるわけです。そしてこのようにしてみると、私たちの社会の知的活動において、ＡＩやビッグデータ解析、さらにはネット検索までの諸々の作業でなされているこ

図2

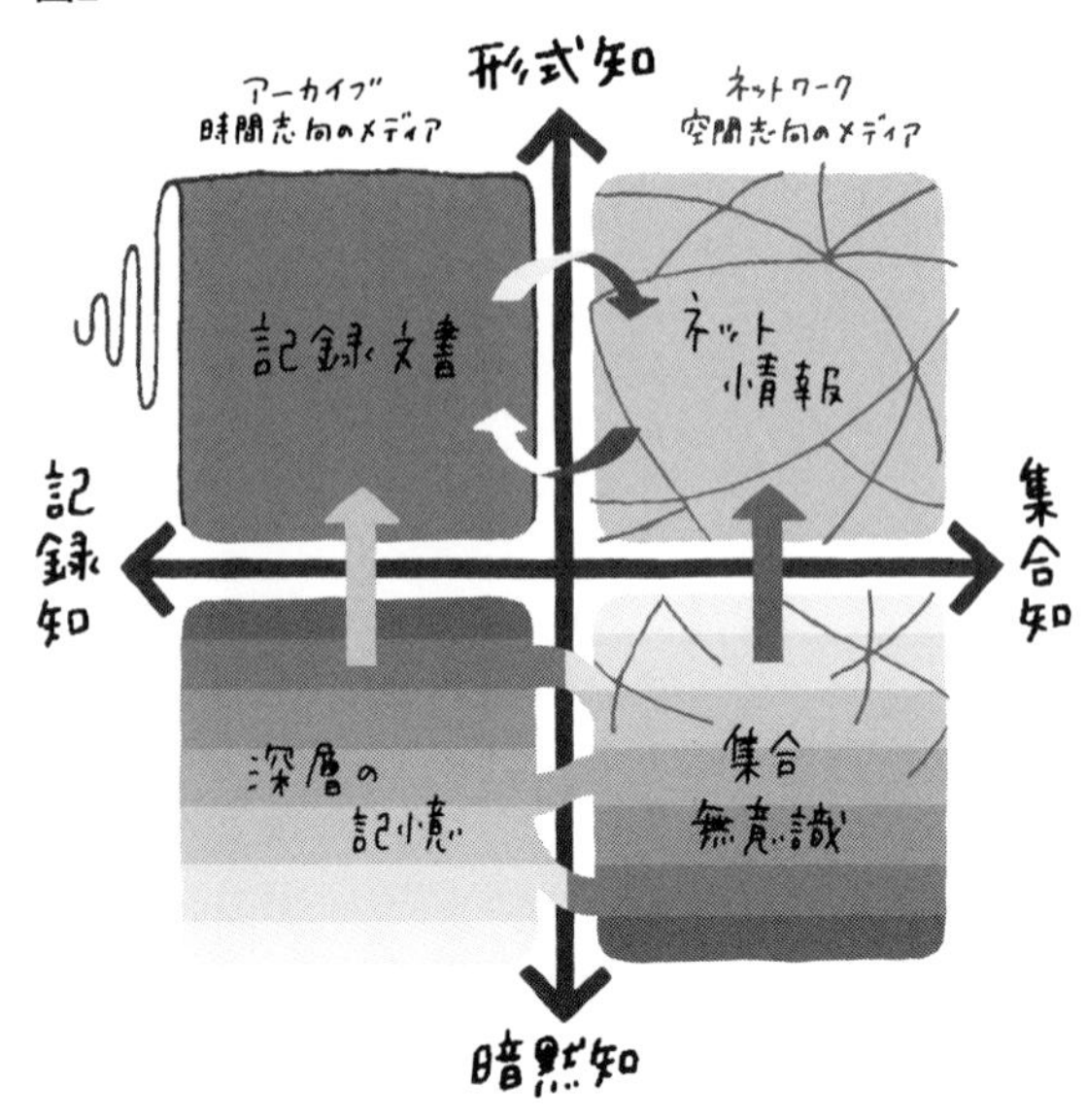

とと、人々が意識、無意識でしていく知的創造がどう異なるのかがはっきりしてきます。

概して言えば、私たちの思考は無意識から意識へと、つまり非公式の変化し続ける語りから公式の記録へと昇華します。これは社会的集合のレベルでも同じで、非公式的な言葉にならないような語りが、次第に形を持ったものとなり、公式に書かれたものとなっていくプロセスがあります。しかし、公式に書かれたものである言説の体制は、非公式的で流動的な語りをしばしば抑圧し、排除し、見えないものにしてもいます。それでもなお、非公式の語りは語り続けることを止めません。何よりもそれは、無意識的な集合知の次元で、何かを語り続けるのです。この無意識的な集合知は、私たちの社会の知的創造性の源泉です。集合的なレベルでうごめきがあり、それがアーカイブ化され、循環していくことで、具体的な言葉や形をやり取りする集合知も、それらの記憶も、絶えざる変化を蒙り続けるのです。

ＡＩやデータサイエンス、コンピュータのパターン認識による未来予測は、このような抗争的な循環のプロセスを持ちません。つまり、それは歴史を持たないのです。われわれはまず何よりも歴史の主体であり、だからわれわれは自分の過去を記憶し、しばしばその記憶を生き続けることで変化させます。図書館や文書館、そしてデジタルアーカイブはそうした記憶の留め金です。その留め金は、学校の教室に媒介され、またしばしばインターネットに媒介されて集合的な対話に開かれていきます。そのことで、時には諸々の人生、過去との結びつきがさらに繋がれていき、歴史の大きな変動が生じるのです。知的創造は、そのような歴史の変動と無関係ではない、それどころか、変動の核心にあるものなのです。

おわりに——知的創造の歴史的主体とは誰か

1　知的創造をめぐる四つのエージェンシー

私はこれまでの四つの章で、知的創造についての四つの条件を示してきました。換言するなら、知的創造を担う四つの主体、エージェンシーについてお話ししてきたのだとも言えます。まず、第1章でお話ししたのは、〈わたし〉自身の人生でした。つまりそこでは、知的創造への契機が、〈わたし〉という一人称で例示されたのです。続いて教室の場での教師と学生の対話的関係に焦点を当てた第2章では、知的創造の主体としての〈あなた〉が問われていきました。ここでの問いは、二人称で語られたわけです。そして第3章で考えようとしたのは、インターネット検索と図書館、エンサイクロペディア、そしてとりわけ集合知と記録知の関係でした。つまり、そこで考えようとしたのは、〈かれら〉や〈それら〉のような三人称のレベルでの知的創造の条件でした。そして最後の第4章では、ＡＩと私たち人間の知的創造がどのように異なるのかを考えようとしてきました。ＡＩは第3章で論じたネット検索的な知の延長線上の問題ですが、これに対する人間的知性とは何かという問いは、〈われわれ〉とはそもそも何者なのかという問いに至ります。これは、一人称とも二人称とも三人称とも言え、それらの「人称」とはそもそも何かを考えたのだと言えるでしょう。

このように、これまでの四つの章で考えた知的創造の主体を人称に応じて整理すれば、図3のようになります。縦軸は、自己と他者の関係軸ですが、「あなた」から見れば「わたし」は他者であり、「かれら」から見れば「われわれ」は他者なわけですから、この自他関係は相互的なものです。他方、横軸は、主体的実践と社会的条件の関係を示します。〈わたし〉や〈あなた〉の知的創造は、わたしやあなたの人生での知的実践の方法論の問題です。これに対して、大学やインターネット、図書館、文書館、デジタルアーカイブ等々は、知的創造の制度的条件に関わります。そして、この図から考えられるべきことは、四つの象限のエージェンシーをつなぐ経路とは何かです。知的創造とは、〈わたし〉のものであるだけでなく、〈あなた〉のものでもあり、〈かれら〉や〈それら〉の力を借りながら、〈われわれ〉のものともなっていくべきだからです。すでにお話ししてきたように、これらの異なるエー

図3

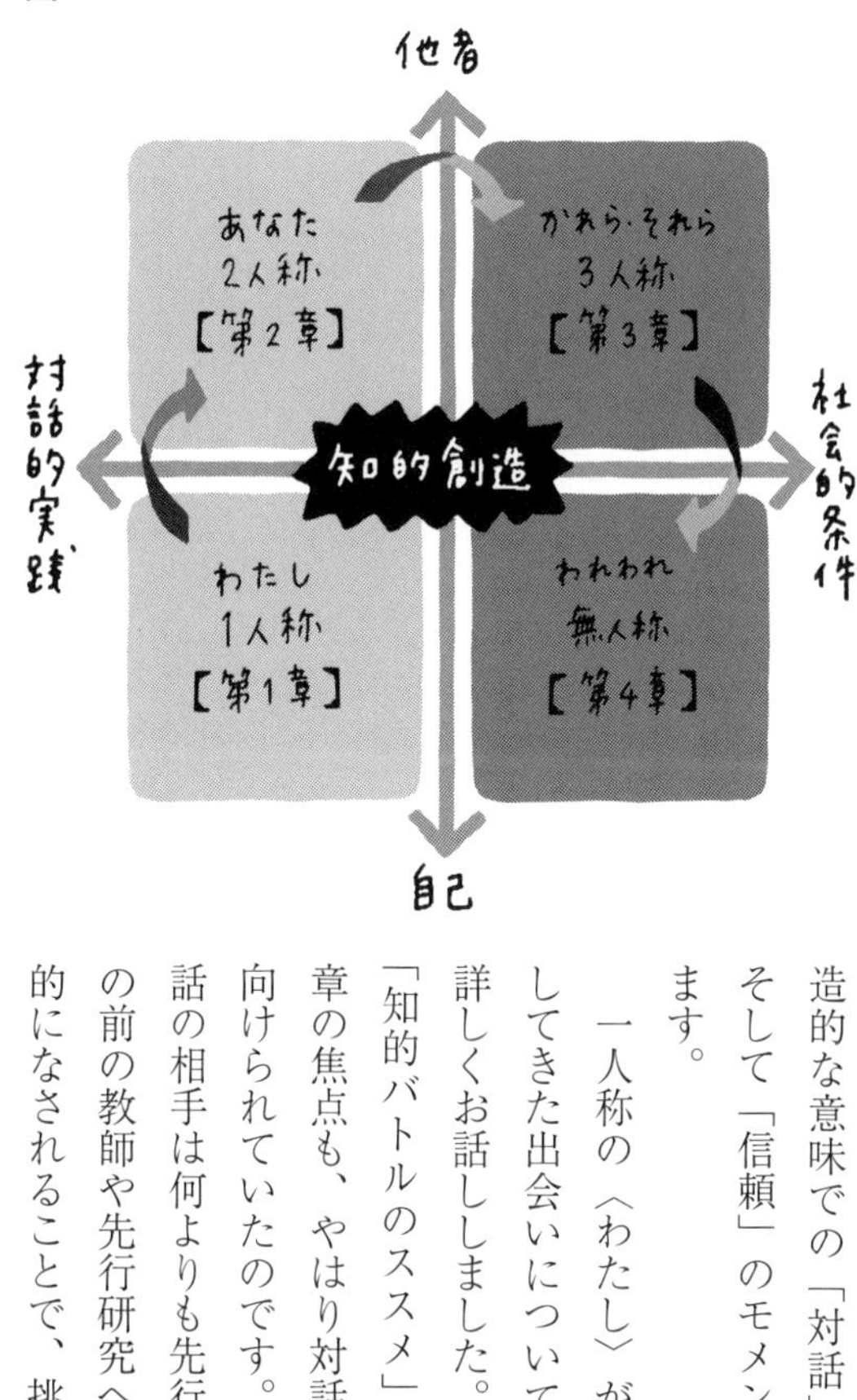

ジェンシーをつないでいくのは、まず何よりも「出会い」であり、それは創造的な意味での「対話」や「賭け」、そして「信頼」のモメントを含んでいます。

一人称の〈わたし〉がこれまで経験してきた出会いについては、第1章で詳しくお話ししました。しかし実は、「知的バトルのススメ」と題した第2章の焦点も、やはり対話的な出会いに向けられていたのです。この場合、対話の相手は何よりも先行研究です。目の前の教師や先行研究への挑戦が対話的になされることで、挑戦者は自分がどこにいるのかを次第に自覚していくことになります。さらに第3章で論じたエンサイクロペディアや研究会は、ネットワーク状の対話の仕組みでした。図書館は本来、膨大な過去の知との対話を可能にしていく場です。そして検索エンジンが問題なのは、それが情報を手に入れるためだけに使われてしまうなら、その便利さが、異なる価値や視座を持つ他者との対話や出会いの契機を失わせてしまうからです。そしてＡＩは、機械が人間的な対話をあたかも代行するかのように振る舞って、私たちが何かに「賭けて」対話していく力を弱めているのかもしれません。

この四つの象限を、今度は基盤となる装置との関係で見ていくと、第２章の現場は大学であり、第３章のそれは図書館や出版産業であったことに気づきます。これらに対して第４章は、むしろＡＩ導入を推進するデータサイエンス産業を念頭に置いていました。大きな歴史の流れでいうならば、学校と出版は、近代における知的創造の二つの基盤でした。その二つの基盤が、デジタル化の中で根底から変化しようとしている。しかし、これまでお話ししてきたように、知的創造の組み立てそのものが、デジタル化によってそもそも変わってしまうわけではありません。ＡＩは、膨大なデータの中に人間では気がつくことのできない隠れたパターンを見出すことによって、近い未来についての予測能力を高めてくれます。しかしながら、突発的な変化や歴史の大きな変動は、ＡＩでは決して予測できません。

これらの考察から、私たちの知的創造にとって、今後とも何が最も重要であるかが浮かび上がってきます。それは、他者や未来に対する信頼です。私たちの時代、それが危機に瀕しています。その信頼を回復するには、信頼すべき未来や社会の共同性を構想できる跳躍的な創造力が必要です。そのような創造力は、現状のデータをいくら重ねても出てはきません。なぜならば、現状では、大学も、出版から新聞、テレビに至るマスメディアも、さらには国家そのものですら、そうした未来の信頼の支柱となれるだけの力を失ってしまっているからです。他方、グローバル資本主義そのものは、そもそも信頼を醸成する仕組みではありません。それにもかかわらず、様々な判断や熟慮を経て、信頼すべき他者に賭け、信頼すべき未来に賭けることが、集団的なレベルで知的創造を生んでいくのだと思います。

本書が考えてきたのは、一方では、学生のあなたが論文をまとめていくにはどうしたらいいのかという、個人レベルの知的創造の方法論でしたが、他方では、社会的インフラまでを含めた知的創造のメディア論でした。メディア環境の変化は、知的創造の様態を根底から変えてしまいます。インターネットが社会に浸透し始めた頃、この新しいメディアは、私たちの知的創造の可能性を劇的に拡大すると多くの人が信じました。しかし、それから約四半世紀、私たちはもうネットが単純に知的創造を拡大するとは信じていません。ですから必要なのは、どのような出会い、対話や信頼の条件を形作っていくことが、私たちが他者と未来を信頼できるようになることにつながるのかという問いに答えていくことです。

2　創造はいつも聴くこと、書くことから始まる

　すでにお話ししたことですが、対話的な出会いにとってまず重要なのは、相手の話を聴くことです。これまで私が学生を指導してきた経験で言うと、伸びる学生とそうでない学生の違いは、まずはこちらが言ったことを、きちんと聴けるかどうかで決まります。たとえば、学生の中には、能力が高くて知識も豊富なのに、人の話をろくに聞かないタイプと、能力は抜群ではなくても、人の話を真剣に聴いて消化するタイプがいます（本当は、能力も高くて話も正確に聴くタイプと、両方ともそうではないタイプもいますが、今はこれらを除外します）。両者の中で、短期的に伸びるのは後者です。彼らは、あれこれ手を広げず、論じるテーマも限定して、一点突破を狙っていけば、一定の水準の論文は書けます。

　逆に、たくさん本を読んでいて、文章も書けて、自分はこれを言いたいという気持ちが前に出すぎている学生がいます。こういう人たちの場合、人の話を聴かないというのが最大の弱点です。問題点を指摘すると、その場では「分かりました」と答えるのですが、結局、自分の考えだけで、多少の見かけ上の修正をして論文をまとめてしまう。こちらが言ったことを、表面的にしか理解しない。つまり、自分の考えや問いへのこだわりがあまりにも強すぎ

て、異なる思考を受け入れることができず、しばしば煮詰まってしまうのです。

なぜ、煮詰まるのか――。学びは自分の意見を言うことから始まるのではなく、人の話をきちんと受け止めることから始まるからです。おそらく、古来そのことに変わりはなく、人の話をしっかり聴くことで、正しく相手に問い返すことができるのです。実際、私が出会った素晴らしい知識人たちは、いずれも聴き上手でした。これは、すでに本書の冒頭でお話ししましたね。たぶん、ソクラテスとか釈迦とか道元といった、歴史に残る思想家はみんなそうだったのではないでしょうか。こうした人たちは、何かすごいアイディアを最初から持っていたというより、他者の話を聴き取る力が圧倒的だったと思うのです。この聴く力をどうやって育てていくかが、じつは大学の授業で最も重要な戦略的照準です。

しかし、実は相手の話を聴くだけでは、聴いたことにはならないのです。本当に創造的な思考は相手の話をただ素直に聴くことからは出てきません。そこで改めて、自身の考えを相手にぶつけるという、もう一方のタイプの学生の出番になります。つまり、素直に教師の話を聴くだけの学生は、それなりに優れた論文を書けても、アッと驚くようなものは書けません。研究対象と先行研究、分析枠組から結論までを上手にまとめていくことはできて、一定の評価は得ると思うのですが、読者を感動させるには、まだ何かが足りないのです。それを私は「執念」としばしば呼んでいます。知的創造を、平均的なものではなく、アウトスタンディングなものにしていくには執念が必要です。しかし、執念が強いことは、しばしば相手の話など聴かないことにつながりますから、これはなかなかやっかいです。

同じ問題を、今度は読むことと書くことについて考えてみましょう。それまで自分が考えてきたことを構造化する最善の手段は、昔も今も文章にして書くということです。その際の方法は、手書きでも、パソコンを使っても、スマホでも同じです。文字にして書くということは、口に出して話すということと根本的に違います。口頭で話すやり方には、やはり限界があるのです。この本は、私が考えていることを口に出して話すという方法で作られていますが、一度、話したことが文字になった後、その文章を推敲していく作業がなければ、私にとっては自らの思考を反省的に構築していることにはなりません。

なぜ、文字にして書くということがそれほど重要なのかといえば、考えは文字化されることによって他者化されるからです。実際、みなさんも頭の中で考えていたことを文字にしてみると、当初イメージしていたのとはまったく違ったという経験が少なくないでしょう。実際に書いてみないと分からない、ということです。書いたものは残り、それは時間とともに他者になります。ですから私は、学生に「考える前に書け」とよく言います。

このような意味で書くという行為には、すでに読むという行為が内挿されています。逆に言えば、多数の本を読んでいく際、そこに書く行為を並行させていないと、興味の赴くまま読み散らかして、結局、考えがまとまらないという結果になりかねません。自分が考えていることを、短くてもいいから、日頃から文章にしていく。そのことが、自分の思考を構造化する上で非常に重要です。たとえば、その時々で考えたことを、Ａ４一枚でいいですから、その都度文章にしておく。そうして書いた文章を、何日か間を置いて読み返していく。数日前の自分と今の自分では、ちょっと脳内のシナプスの構造が変化していて、数日前には面白いと思っていた話が、今は全然つまらなくなっているかもしれません。そうしたときに、前に書いた文章を消してしまってはいけません。数日前の文章には何が欠けていたのか、なぜ自分の中でこの文章の評価が違って感じられるようになったのかを考え、やり直しではなく修正という仕方で改善を試みるべきだと思います。

つまり、私がここで勧めているのは自分との対話です。読書は、自分が求める情報や知識を本の中に探す作業ではありませんし、作者の狙いや考え、結論をそのまま受け入れる作業でもありません。どちらも、すでにお話しした「アタック・ミー！」の授業で厳しく禁じている読み方です。そうではなくて、読書とは、要するに他者との対話なのです。「アタック・ミー！」の授業で私が求めたのは、最も攻撃的な対話のパターンですが、もちろんもっと温和な対話法もあるでしょう。対話は自己と他者の違い、異なる者とのコミュニケーション、より正確にはディスコミュニケーションを通じて達成されます。これまでお話ししてきたように、これが知的創造の原基です。したがって、自分が数日前に書いたことに、今の自分が違和感を抱くとしたら、それは実は知的創造にとってとても大切なことなのです。

ＡＩは、過去の自身の考えに対するこのような違和感を抱くことができません。考えの変化は、データ増による精密化であったり、過去のフレイムの修正であったりするでしょうが、異なる二つの主体間の対話にはならない。すでにお話ししてきたように、ＡＩの知能は多様なデータを連続的な空間の中に整序していくことによって機能します。矛盾や葛藤、曖昧さが最後まで残ることは、ＡＩ的知能には禁物です。もちろん、最初は矛盾だらけのカオスから出発することもあるでしょうが、だんだん複雑性は縮減され、最後はデータ空間としての一貫性から答えが出てくる。ところが人間的な意味での知的創造は、そうした矛盾を縮減どころか高めていき、一義的な答えが出るはずもない状況で、ある種の実存的な決断によって答えを出していく場合が多々あるのです。この決断を可能にするのは、今、お話しした「信頼」と「執念」です。私は、ＡＩにはこのような矛盾の中での実存的決断は、どんなに高度なＡＩにも、というか高度であればあるほどできないと思います。

3　他者と未来への信頼を回復する――近代の臨界点にて

いよいよ本書を終えるときが来ました。最後に何を申し上げて終わりましょうか。私は前章で、シンギュラリティは来ないと断言しました。つまりそれは、ＡＩが人間のような知的創造をできるようになる日は来ないという意味です。ＡＩはあと数十年を経ても、人間のように出会い、他者を信頼し、何かに賭けて未来を創造していくようにはなりません。しかしこのことは、人間がやがて今日の出来損ないのＡＩ程度にしか、それどころかそれらよりもはるかに低いレベルでしか、物事を考えたり、他者を感じたりできなくなってしまうという可能性を否定するわけではありません。人間が、レベルのきわめて低いＡＩと化していくのです。実際、徴候はすでに現れています。多くの人は、トランプ米大統領をはじめ、世界の大国の何人かの指導者が、実は人間ではなくてロボットだったと聞かされても、それほど驚かないでしょう。実際、現在のアメリカ大統領の表情や振る舞いには、人間的な奥行きというものがまったくありません。あれは、出来損ないのロボットですから、そのくらいだったらもうちょっとまともなロボットに交換したほうがいいと思う人もいるでしょう。

こうした傾向がますます広がっていけば、シンギュラリティが来ると言われている二一世紀半ばには、地球はまるで人間らしさを感じることが出来ない、ロボットのような経営者や政治家ばかりがのさばるディストピアと化します。人々がお互いを、そしてまた共通の未来を信頼できなくなってしまった社会は、やがて確実に崩壊していきます。文字通りの「世界の終わり」です。それも、終末論が説く劇的な「終わり」ではなく、もっとずるずるとなし崩し的な、誰も気づかない変化の中で、気がついたらもう世界はこのまま存続していても価値がないと人々が思ってしまうほどになっていたという終わりでしょう。

そのような未来を、あなたは望むでしょうか？ 重要なことは、われわれは今、〈近代〉の臨界点を生きているという認識です。今日、私たちが直面している様々な危機、それは冷戦が厳しかった頃の核戦争の危機や、第二次大戦中のジェノサイドの危機とは異なります。気候変動と巨大災害、新しい感染症、先進諸国での目も眩むような貧富の格差とマイノリティ排除、フェイクニュースとフィルターバブルの中でますます閉じこもっていくネット社会等々、これらの全般的傾向が示すのは、私たちの文明が、その近代化の果てで、もう地球環境を使い潰してしまったこと。地球は〈近代〉ですでに飽和しており、環境も、人口も、富もすでに限界に達した後のゼロサムゲームの中で崩壊を始めていることです。

『大予言――「歴史の尺度」が示す未来』（集英社新書、二〇一七年）ですでに論じましたが、私たちが生きている時代は、「長い一六世紀」（フェルナン・ブローデル）が終わって一七世紀の世界へと転位していった非連続局面に最も似ています。「長い一六世紀」は、一九世紀から一九七〇年頃までの世界がそうであったように、長い拡張の時代でした。農業生産力と人口、軍事技術、遠隔地交易、そして地球全体の富が、新大陸の先住民の壮絶な規模での虐殺と文明の破壊を伴いながら膨らんでいきました。コロンブスから織田信長までが、この時代の副産物です。そしてその拡張の時代が、一七世紀初頭、突如として終わっていく。

同じように現在、アフリカでの人口膨張がなお続くとしても、産業革命に始まる長い拡張の時代の限界は明らかになってきています。デジタル革命は、この拡張を多少は延命させる面もありますが、それ以上に拡張の基盤をなした社会の仕組みを変容させるでしょう。つまり二一世紀、〈近代〉は壮大な規模で臨界を迎えつつあるのです。当然ながら、この臨界は〈近代〉の飽和によってもたらされるものであり、飽和にはリスクが伴います。もし、飽和してもなお拡張を続けようとする圧力が止まらなければ、地球は本当に壊れてしまうかもしれませんし、同時に私たちは、災害から疫病までの危機に襲われていくでしょう。

現代の知的創造のすべての努力は、この臨界を迎えた〈近代〉の先に向けて賭けられるべきです。そのような知的跳躍は、ＡＩにはできません。この知的跳躍が、歴史的な実践だからです。第1章で述べたように、私の自己形成は、一九七〇年代という時代の中でなされました。今、振り返れば、一九七〇年代が戦後日本史のみならず、数百年続いた〈近代〉という文明にとっても大きな屈折点であったことに気づきます。私自身、そうした時代に自己形成をしていなければ、本書のような本を書くこともなかったし、あなたがこの本を読むこともなかったでしょう。そもそも知的創造を語る本全体が、戦後日本における知識の大衆化という大きな文脈の中で浮上してきた出版のカテゴリーなわけですが、その戦後日本、そしてそれを取り巻いていたグローバルな〈近代〉がある屈折を迎えるなかで、いかに知的創造を考え続けるのかという問いに、本書は取り組んできたのだと思います。

さらに考えてみれば、小学校の担任の野村先生も、演劇の如月さんも、学生時代に出会った見田先生や栗原彬先生、原先生も、近代化の中で空虚化したもの、その彼方にあるかもしれないものを凝視する点で共通の志向を持っていました。彼らとの出会いに、その時々で私が強く惹かれてきたことは、私自身の中に同じような志向が無意識の原基としてずっとあったことを示しています。第2章では触れませんでしたが、私は劇団綺畸から離れた後、横浜ボートシアターにしばらく参加し、その演出家である遠藤啄郎さんの演出助手もしています。横浜の運河に浮かぶダルマ船を劇場に仮面劇をしていたこの劇団も、近代の彼方に中世説教節や古代インドの叙事的世界を見出す点で、同じ方向を向いていました。その遠藤さんは、今、この本の最後の話をしている数週間ほど前、九一歳の生涯を閉じられました。私は演劇における師と呼びうる人を二人とも失ったことになります。そして自分自身、すでに六〇歳を過ぎ、人生の未来よりも過去のほうがずっと大きな割合を占めています。

しかし、知的創造の時間は、こうした次元とは別、というかこうした人生の時間に対して垂直に屹立しています。知的創造の時間は、条件が整えられるならば、様々な地域、世代の人々が、時代の危機に直面するなかで、挑戦として編み出していくものです。その条件とは、本書で論じてきたような意味での出会いや対話、信頼を醸成する条件です。ある時は、それは小中学校での授業のクオリティであったり、子供たちが享受できる自由の時間であったりするでしょうし、ある時には図書館やミュージアムから都市のなかの劇場、広場、開かれた様々な文化的共有地（コモンズ）の存在かもしれません。またあるときは、インターネットの中で多様性や対話、過去の遺産の継承や活用を可能にする仕組みでしょう。これらすべては、二一世紀的危機の時代の中での知的創造の条件として機能します。つまりそれらは、知的創造の主体としての〈われわれ〉が生まれ続けるための基盤なのです。

あとがき

本書は二〇一九年から二〇年にかけて、約五日間のインタビューで語り下ろされたものである。このような「知的創造」をテーマにした本を作ろうと思った直接のきっかけは、もちろんＡＩブームに対する私なりの応答という思いからだ。ＡＩがチェスや将棋、囲碁の王者を負かす、様々な社会的場面に導入されてルーティン的な仕事を代替していく、さらに相当の確度で未来を予測するといった流れのなかで、各国はＡＩ技術者の養成に躍起である。

だが本書は、シンギュラリティは来ない、つまり人間の知的創造力をＡＩが全体で超えることは、二〇四五年はもちろん、その先でも起こらないと断言している。それは、消極的、積極的の二つの理由からだ。消極的には、新しい技術的イノベーションには、いつも累乗的拡張の後、飽和点を迎えていくという鉄則があるからだ。蒸気機関や自動車、テレビやインターネットと同じように、ＡＩも二〇四〇年代までに飽和点を迎えるだろう。

他方の積極的理由は、人間の知的創造力の根幹に関わる。少なくとも過去数千年、人間の知的創造力を駆動してきたのは、われわれが歴史的存在だという事実である。人生の危機から人類の危機まで、われわれは様々な歴史的危機に直面し、自らの知的創造力を鍛えてきた。つまり、知的創造という行為の根幹には、他者との出会いから様々な危機に直面しての実存的な挑戦までのモメントが伏在している。期末レポートから大規模プロジェクトまで、われわれの知的創造は多くの場合、状況に追い詰められ、ぎりぎりの挑戦として実現する。長い歴史の中で、そうした知的創造は、「類」的な仕方で継承されてきた。このような歴史的危機の中での実存的な挑戦を、AIは決して自らすることはないだろう。

とはいえ、私はAIによる知の可視化に消極的なのではない。もう一〇年以上も前、私は東京大学に設置された「知の構造化センター」に関わり、とりわけそこでの「人文知の構造化」に深く関与した。その際に進めたのは、岩波書店が一九二〇年代から刊行してきた『思想』の全論文データを自然言語処理の技術で自動的に構造化することで、人文学の未来地図をAIベースで可視化することだった。本来、これは東大図書館から国立国会図書館までの全書籍のデータ化を含むプロジェクトにするつもりだったが、頓挫している。

他方、二〇一〇年代半ば以降、私は友人たちとデジタルアーカイブ学会を立ち上げ、その分野の諸プロジェクトに関与してきた。AIやビッグデータ解析がデータの連続性の中で未来を予測するなら、デジタルアーカイブは連続性を越えた断層、他者の思考について考える可能性を拓く。それは、昔から図書館や文書館、博物館がしてきたことの延長線上にある。グーグルは図書館の検索システムを発展させて地球大の知識システムを創造した。だが、図書館には本来、資料の検索システムという以上の驚きを含んだ空間的厚みがある。デジタル技術の可能性は、連続性から未来を予測することだけにとどまらないはずだ。

その先にある知的創造の条件とは何か――もちろん、大学である。もともと筑摩書房編集部の石島裕之さんからいただいた提案は、新しい大学論を書くというものだった。それが議論をしていく間に、「知的創造の条件」論となった。「大学」という固定観念を離れ、知的創造の条件として一般化していけば、ＡＩやデジタルアーカイブから図書館や文書館、博物館、それに出版システムとエンサイクロペディア、大学のカリキュラム、教室での授業法から私自身が経験してきた知的創造の条件までを統合的に見渡すことが可能になる。そこで本書は、すでに述べたように「わたし」「あなた」「かれら／それら」「われわれ」という四つの象限で著者が考える「知的創造の条件」を語り下ろしていく作業として進められた。

語り下ろしの各回は、準備が間に合わなかったり、話が行きつ戻りつ、脱線したまま戻ってこなかったりと、決して本書の最終形のような順序だった仕方で進んだのではない。石島さんには、その混乱した私の語りを文字化し、整序するという大変骨の折れる作業をしていただいた。収録予定日をキャンセルしたい気持ちでいっぱいの私に繰り返しリマインドし、じっと何時間も目の前に座ってくれる編集者がいなかったら、私は忙しさを理由に本書の作業を後回しにしていたに違いないのだ。石島さんには、改めて心から感謝申し上げたい。

最後に一言。知的創造は危機の中での人間的、文化的実践だという本書のテーゼからすれば、現代はまさに危機の時代である。その只中で、大学やアーカイブはいかなる知的創造の条件を整えるのか――この問いへの答え自体が、現代の知的創造そのものでもある。

二〇二〇年三月一五日　新型感染症流行の世界的危機のなかで

吉見 俊哉

吉見俊哉 よしみ・しゅんや

一九五七年、東京都生まれ。八七年、東京大学大学院社会学研究科博士課程単位取得退学。現在、東京大学大学院情報学環教授。社会学、都市論、メディア論を専攻。著書に『都市のドラマトゥルギー――東京・盛り場の社会史』（弘文堂、のち河出文庫）、『カルチュラル・スタディーズ』『視覚都市の地政学――まなざしとしての近代』（以上、岩波書店）、『ポスト戦後社会』『親米と反米――戦後日本の政治的無意識』『大学とは何か』『トランプのアメリカに住む』『平成時代』（以上、岩波新書）、『万博幻想――戦後政治の呪縛』『夢の原子力――Atoms for Dream』（以上、ちくま新書）、『「文系学部廃止」の衝撃』『大予言――「歴史の尺度」が示す未来』『戦後と災後の間――溶融するメディアと社会』（以上、集英社新書）、『アフター・カルチュラル・スタディーズ』（青土社）ほか多数。

筑摩選書 0190

知的創造の条件 AI的思考を超えるヒント

二〇二〇年五月一五日 初版第一刷発行

著者 吉見俊哉

発行者 喜入冬子

発行所 株式会社筑摩書房

東京都台東区蔵前二-五-三 郵便番号 一一一-八七五五

電話番号 〇三-五六八七-二六〇一（代表）

装幀者 神田昇和

印刷 製本 中央精版印刷株式会社

ISBN978-4-480-01696-6 C0395

筑摩選書 0054

世界正義論

井上達夫

超大国による「正義」の濫用、世界的な規模で広がりゆく貧富の格差……。こうした中にあって「グローバルな正義」の可能性を原理的に追究する政治哲学の書。

筑摩選書 0070

社会心理学講義
〈閉ざされた社会〉と〈開かれた社会〉

小坂井敏晶

社会心理学とはどのような学問なのか。本書では、社会を支える「同一性と変化」の原理を軸にこの学の発想と意義を伝える。人間理解への示唆に満ちた渾身の講義。

筑摩選書 0076

民主主義のつくり方

宇野重規

民主主義への不信が募る現代日本。より身近で使い勝手のよいものへと転換するには何が必要なのか。〈プラグマティズム〉型民主主義に可能性を見出す希望の書！

筑摩選書 0077

北のはやり歌

赤坂憲雄

昭和の歌謡曲はなぜ「北」を歌ったのか。「リンゴの唄」から「津軽海峡・冬景色」「みだれ髪」まで、時代を映す鏡である流行歌に、戦後日本の精神の変遷を探る。

筑摩選書 0078

紅白歌合戦と日本人

太田省一

誰もが認める国民的番組、紅白歌合戦。今なお40％台の視聴率を誇るこの番組の変遷を、興味深い逸話を交えつつ論じ、日本人とは何かを浮き彫りにする渾身作！

筑摩選書 0087

自由か、さもなくば幸福か？
二一世紀の〈あり得べき社会〉を問う

大屋雄裕

二〇世紀の苦闘と幻滅を経て、私たちの社会はどこへ向かおうとしているのか？　一九世紀以降の「統制のモード」の変容を追い、可能な未来像を描出した衝撃作！

筑摩選書 0106

現象学という思考
〈自明なもの〉の知へ

田口茂

日常における〈自明なもの〉を精査し、我々の経験の構造を浮き彫りにする営為——現象学。その尽きせぬ魅力と射程を粘り強い思考とともに伝える新しい入門書。

筑摩選書 0108

希望の思想　プラグマティズム入門

大賀祐樹

暫定的で可謬的な「正しさ」を肯定し、誰もが共生できる社会構想を切り拓くプラグマティズム。デューイ、ローティらの軌跡を辿り直し、現代的意義を明らかにする。

筑摩選書 0111

柄谷行人論
〈他者〉のゆくえ

小林敏明

犀利な文芸批評から始まり、やがて共同体間の「交換」を問うに至った思想家・柄谷行人。その中心にあるものは何か。今はじめて思想の全貌が解き明かされる。

筑摩選書 0119

民を殺す国・日本
足尾鉱毒事件からフクシマへ

大庭健

フクシマも足尾鉱毒事件も、この国の「構造的な無責任」体制＝国家教によってもたらされた——。その乗り越えには何が必要なのか。倫理学者による迫真の書！

筑摩選書 0127

分断社会を終わらせる
「だれもが受益者」という財政戦略

井手英策　古市将人
宮崎雅人

所得・世代・性別・地域間の対立が激化し、分断化が進む現代日本。なぜか？　どうすればいいのか？「救済」から「必要」へと政治理念の変革を訴える希望の書。

筑摩選書 0130

これからのマルクス経済学入門

松尾　匡
橋本貴彦

マルクスは資本主義経済をどう捉えていたのか？　マルクス経済学の基礎的概念を検討し、「投下労働価値」がその可能性の中心にあることを明確にした画期的な書！

筑摩選書 0133

憲法9条とわれらが日本
未来世代へ手渡す

大澤真幸 編

憲法九条を徹底して考え、戦後日本を鋭く問う。社会学者の編著者が、強靭な思索者たる井上達夫、加藤典洋、中島岳志の諸氏とともに、「これから」を提言する！

筑摩選書 0138

ローティ
連帯と自己超克の思想

冨田恭彦

プラグマティズムの最重要な哲学者リチャード・ローティ。彼の思想を哲学史の中で明快に一から読み解き、後半生の政治的発言にまで繋げて見せる決定版。

筑摩選書 0141

「働く青年」と教養の戦後史
「人生雑誌」と読者のゆくえ

福間良明

経済的な理由で進学を断念し、仕事に就いた若者たち。知的世界への憧れと反発。孤独な彼ら彼女らを支え、結びつけた昭和の「人生雑誌」。その盛衰を描き出す！

筑摩選書 0142

徹底検証　日本の右傾化

塚田穂高 編著

日本会議、ヘイトスピーチ、改憲、草の根保守、「慰安婦報道」……。現代日本の「右傾化」を、ジャーナリストから研究者まで第一級の著者が多角的に検証！

筑摩選書 0150

憲法と世論
戦後日本人は憲法とどう向き合ってきたのか

境家史郎

憲法に対し日本人は、いかなる態度を取ってきただろうか。世論調査を徹底分析することで通説を覆し、憲法観の変遷を鮮明に浮かび上がらせた、比類なき労作！

筑摩選書 0154

1968〔1〕文化

四方田犬彦 編著

1968〜72年の5年間、映画、演劇、音楽、写真、舞踏、流行、図像、雑誌の領域で生じていた現象を前景化し、歴史的記憶として差し出す。写真資料満載。

筑摩選書 0155

1968〔2〕文学

四方田犬彦／福間健二 編

三島由紀夫、鈴木いづみ、土方巽、澁澤龍彦……。文化の〈異端者〉たちが遺した詩、小説、評論などを収録。反時代的な思想と美学を深く味わうアンソロジー。

筑摩選書 0156

1968〔3〕漫画

四方田犬彦／中条省平 編

実験的であること、前衛的であること、アンダーグラウンドであること。それが漫画の基準だった――。第3巻では、時代の〈異端者〉たちが遺した漫画群を収録。

筑摩選書 0158

雇用は契約

雰囲気に負けない働き方

玄田有史

会社任せでOKという時代は終わった。自分の身を守るには、「雇用は契約」という原点を踏まえる必要がある。悔いなき職業人生を送る上でもヒントに満ちた一冊!

筑摩選書 0160

教養主義のリハビリテーション

大澤 聡

知の下方修正と歴史感覚の希薄化が進む今、教養のバージョンアップには何が必要か。気鋭の批評家が鷲田清一、竹内洋、吉見俊哉の諸氏と、来るべき教養を探る!

筑摩選書 0161

終わらない「失われた20年」

嗤う日本の「ナショナリズム」・その後

北田暁大

ネトウヨ的世界観・政治が猛威をふるう現代日本。アイロニーに嵌り込む左派知識人。隘路を突破するには何が必要か? リベラル再起動のための視角を提示する!

筑摩選書 0169

フーコーの言説

〈自分自身〉であり続けないために

慎改康之

知・権力・自己との関係の三つを軸に多彩な研究を行ったフーコー。その言説群はいかなる一貫性を持つのか。精確な読解によって明るみに出される思考の全貌。

筑摩選書 0186

皇国日本とアメリカ大権

日本人の精神を何が縛っているのか?

橋爪大三郎

昭和の総動員体制になぜ人々は巻き込まれたのか。戦後のアメリカ大権を国民が直視しないのはなぜか。戦前の聖典『国体の本義』解読から、日本人の無意識を問う。